MARKUS KLEK

LEDER, FELLE & PELZE SELBST GERBEN
MIT FETTEN UND RAUCH

MARKUS KLEK

LEDER, FELLE & PELZE SELBST GERBEN

MIT FETTEN UND RAUCH

Leopold Stocker Verlag

Graz – Stuttgart

Umschlaggestaltung: DSR Werbeagentur Rypka GmbH, 8143 Dobl/Graz, www.rypka.at
Titelbilder vorne: Katharina Ußling: unten; istockphoto.com/hypertizer: oben
Titelbilder hinten: Alaka Harkort: zweites Bild von oben; Katharina Ußling: ganz oben links;
istockphoto.com/hypertizer: ganz oben Mitte; die restlichen Abbildungen stammen dankenswerterweise vom Autor.

Bildnachweis: Alaka Harkort: S. 46 o., 57 u.; Jürg Hassler: S. 23, 41, 42, 54, 70, 71 u., 76 re.; Heidi
Schwarz: S. 57 o., 71 o.; Katharina Ußling: S. 10, 12, 19, 22, 26, 52, 56 u., 64, 74, 78, 82, 90, 100,
106.; iStock.com/robybenzi: S. 28 o.; iStock.com/SeventhDayPhotography: S. 29 o. 90-1 (117) INV
09832600, National Anthropological Archives, Smithsonean Institution: S. 13.
Alle anderen Fotos und Skizzen wurden dankenswerterweise vom Autor zur Verfügung gestellt.

Bibliografische Information der Deutschen Nationalbibliothek
Die Deutsche Nationalbibliothek verzeichnet diese Publikation in der
Deutschen Nationalbibliografie; detaillierte bibliografische Daten sind
im Internet unter http://dnb.d-nb.de abrufbar.

Hinweis: Dieses Buch wurde auf chlorfrei gebleichtem Papier gedruckt. Die zum Schutz vor
Verschmutzung verwendete Einschweißfolie ist aus Polyethylen chlor- und schwefelfrei hergestellt. Diese umweltfreundliche Folie verhält sich grundwasserneutral, ist voll
recyclingfähig und verbrennt in Müllverbrennungsanlagen völlig ungiftig.

Auf Wunsch senden wir Ihnen gerne kostenlos unser Verlagsverzeichnis zu:
Leopold Stocker Verlag GmbH
Hofgasse 5/Postfach 438
A-8011 Graz
Tel.: +43 (0)316/82 16 36
Fax: +43 (0)316/83 56 12
E-Mail: stocker-verlag@stocker-verlag.com
www.stocker-verlag.com

ISBN 978-3-7020-1817-7

Layout und Repro: DSR Werbeagentur Rypka GmbH, 8143 Dobl/Graz
Druck: Finidr, s.r.o., Český Těšín

INHALT

Gerben von Fellen

Gerben von Pelzen

Nach Selbstgegerbt kommt selbst Nähen – Leder, Felle und Pelze weiterverarbeiten

Weiterführende und vertiefende Literatur 134

VORWORT

Im Jahr 2003 kontaktierte Markus Klek das Museum Natur und Mensch der Stadt Freiburg, ehemals Adelhausermuseum, an dem ich als Ethnologin noch heute arbeite, um mir sein Projekt „Traditionelle Hirngerbung der nordamerikanischen Indianer" vorzustellen.

Seine fundierten Kenntnisse über die traditionelle Lebensweise der Prärie- und Plains-Indianer, insbesondere aber sein praktisches Wissen über deren Leder- und Fellbearbeitungstechniken, faszinierten mich, zumal er diese während seines neunjährigen Aufenthalts in den USA erlernt hatte. Ich wurde neugierig und lud Markus Klek zu uns ins Museum ein, um ihn persönlich kennenzulernen.

Bei unserem ersten Treffen war ich begeistert von seiner Idee, Workshops und Vorführungen zu diesem Thema zu veranstalten, da dies bestens an unsere damals noch umfangreiche Nordamerika-Ausstellung anknüpfte.

Die Fellverarbeitung zum Schutz vor Witterung und Kälte ist eine der elementarsten Fertigkeiten, die das Überleben des Menschen über Jahrtausende sicherte. Nicht nur in Nordamerika, sondern in vielen Teilen der Welt war die Technik des Gerbens mittels Fetten und Rauch bekannt. Auch unsere eigenen Vorfahren präparierten in der Steinzeit wohl auf diese Weise ihre Häute – ein uraltes Verfahren also, bei dem das Leder gänzlich von Hand und ohne den Einsatz von Chemikalien bearbeitet wird.

Markus Klek überzeugte mich damals nicht nur mit seinem Fachwissen, auch sein reiches Repertoire an selbstgefertigten Lederobjekten, Kleidungsstücken und Nachbildungen anderer historischer Gegenstände ließ keinen Zweifel an der hohen Qualität seines kunsthandwerklichen Schaffens, welches nicht nur langjährige praktische Erfahrung, sondern auch explizite Kenntnisse historischer indianischer und urgeschichtlicher Handwerkstechniken voraussetzt.

Ich engagierte Markus Klek für einen Wochenendworkshop, bei dem die Teilnehmer in die traditionelle Gerbetechnik eingeführt wurden und sämtliche Arbeitsschritte sowie die Herstellung und Verwendung verschiedener dazu notwendiger Knochen-

und Metallwerkzeuge erlernten. Es wurde ein voller Erfolg, der Kurs wurde mit Begeisterung aufgenommen. Die große Nachfrage an weiteren Veranstaltungen dieser Art führte dazu, dass Herr Klek bis heute immer wieder Happenings und Aktionen in unserem Museum durchführt.

Sein neues, umfangreich erweitertes Buch stellt einen wichtigen Beitrag dar, dieses alte Handwerk nicht in Vergessenheit geraten zu lassen. Es liefert gleichzeitig durch seine umweltverträgliche Herangehensweise einen überzeugenden und praktischen Ansatz zu einer nachhaltigen Nutzung natürlicher Ressourcen.

Freiburg, im Frühjahr 2019

Heike Gerlach M.A., Ethnologin und Museologin am Museum Natur und Mensch in Freiburg i. Br.

DER AUTOR

Markus Klek, geboren 1969 in Freiburg im Breisgau, lebte neun Jahre in den USA, wo er erstmals begann, sich mit der traditionellen indianischen Hirngerbung zu beschäftigen. Heute betreibt er eine eigene Mikro-Gerberei im Schwarzwald und vermittelt sein Wissen über indigene und prähistorische Gerbetechniken in Kursen sowie an Museen und bei anderen Veranstaltungen. Im Eigenverlag hat er bereits zwei Bücher zum Thema Gerben veröffentlicht.

Besuchen Sie ihn auch auf seiner Homepage unter **www.palaeotechnik.eu**

GERBEN

DEFINITION

Das Wort „Gerben" stammt vermutlich vom Mittelhochdeutschen *gerwen* (Althochdeutsch *garawen*) und bedeutet ursprünglich „Fertigen" oder „Fertigmachen". Noch heute wird der Fachausdruck „Garmachen" im Lederhandwerk verwendet. Seit althochdeutscher Zeit wird der Begriff *gerwen* jedoch nur noch zur Bezeichnung der Lederherstellung verwendet. (Wahrig Herkunftswörterbuch)

Ziel des Gerbens ist es, die Eiweißstoffe der tierischen Haut vor dem Faulen zu bewahren, sie zu konservieren und dadurch dauerhaft haltbar und für den menschlichen Gebrauch nutzbar zu machen.

GESCHICHTE UND HINTERGRÜNDE

Das Verarbeiten von Rohstoffen tierischen Ursprungs gehört zu den ältesten Kulturtechniken des Menschen. Neben Fleisch, Kochen, Geweih, Horn und anderen Körperteilen der Jagdbeute waren es natürlich auch Häute und Felle, welche bereits von den Urmenschen verwendet wurden. Diese Häute bedurften jedoch zumindest einer rudimentären Behandlung, um sie vor dem Verwesen zu bewahren und für eine Verwendung und Weiterverarbeitung nutzbar zu machen.

Spätestens seit der Urmensch *homo erectus* vor über 800.000 Jahren begann, von Afrika aus gemäßigte und kalte Zonen Eurasiens zu besiedeln, wird es nötig gewesen sein, die Behandlungsmethoden zu verfeinern, um mit Hilfe von wärmender Bekleidung und eventuell auch zeltartigen Unterkünften ein Überleben in raueren Klimata zu gewährleisten.

Das einfachste und damit ursprünglichste Vorgehen war dabei gewiss, die Häute von Fett- und Fleischresten zu befreien und lediglich durch Walken und Dehnen oder auch Kauen flexibel zu machen. Diese Methoden werden teilweise noch heute in den zirkumpolaren Regionen der Erde,

wie z. B. von den Inuit, angewandt. Es ist daher denkbar, dass die Menschen in Europa während der letzten Eiszeit ebenfalls auf derartige Weise ihre Häute präpariert haben.

Herrschen jedoch mildere und feuchtere Witterungsverhältnisse, wird es nötig, andere Methoden zu entwickeln, um Produkte herzustellen, welche auch bei Nässe bestehen, was bei lediglich mechanisch bearbeiteten Häuten nicht der Fall ist. Die Entwicklung von unterschiedlichen Gerbeprozessen ist daher immer auch an die klimatischen Verhältnisse einer entsprechenden Bevölkerungsgruppe gebunden sowie natürlich an deren allgemeinen kulturellen Entwicklungsstand und die vorhandenen natürlichen Ressourcen.

Eine weitere Entwicklung beim Präparieren tierischer Häute stellt in diesem Zusammenhang die Verwendung tierischer Fette und Öle dar, so z. B. Hirn oder Knochenmark, in Kombination mit Rauch. Dafür existiert der Überbegriff „Fettgerbung". Allgemein ist die in diesem Buch dargestellte Methode jedoch als „Hirngerbung" bekannt (aus dem Englischen *brain tanning*). Sie stellt somit eine uralte Technik dar, welche allerdings bis in die Neuzeit überlebt hat. Es handelt sich um ein rudimentäres, aber effizientes Verfahren, welches keiner umfangreichen technischen Ausrüstung bedarf und welches zeitnah zu einem fertigen Produkt führt. Ein ideales Verfahren also für nomadisierende Jäger- und Sammlergruppen.

  Weitere Gerbemethoden, wie z. B. die rein pflanzliche Gerbung, sind Entwicklungen, welche geschichtlich mit der Sess-

haftigkeit und fortschreitender handwerklicher Spezialisierung in Verbindung gebracht werden, da für diese Methode unter anderem große Mengen bestimmter Pflanzenteile, das Anlegen von Gerbegruben und der längere Verbleib an einem Ort vorausgesetzt werden (siehe „Methoden des Gerbens", S. 17 ff.).

Archäologisch gesehen kann spätestens seit dem Jungpaläolithikum, beginnend vor über 40.000 Jahren, an Hand von Gebrauchsspurenanalysen an Werkzeugfunden, wie Schabern und Kratzern aus Stein und anderem Gerät aus Knochen, Geweih und Elfenbein, mit Sicherheit auf die Herstellung von Leder- und Fellkleidung geschlossen werden. Da sich organische Materialien im Boden generell nicht gut er-

Winnebago-Indianerin beim Gerben einer Hirschhaut. Interessant ist hier die Art der Einbindung der Haut in den Rahmen (siehe auch „Gerben von Fellen", S. 83 ff.).

Aufgespannte Rinderhäute in Kamerun. Historische Postkarte aus der Sammlung des Autors

halten, ist die Fundlage, was Leder und Fell betrifft, sehr dürftig. Der wohl älteste und bekannteste archäologische Lederfund in Europa ist die Kleidung und Ausrüstung des „Ötzi", der etwa 5.300 Jahre alten Eis-Mumie aus den Alpen. Verschiedene wissenschaftliche Untersuchungen an den erhaltenen Ledern und Fellen weisen auf eine Fettgerbung mit anschließendem Räuchern hin.

Aus der Urzeit sind natürlich so gut wie keine konkreten Arbeitsschritte des Gerbevorgangs überliefert und das Aufbereiten von Tierhäuten fällt damit in einen Bereich, der zumindest archäologisch schwer nachvollziehbar ist. Hier ist der ethnographische Vergleich mit Bevölkerungen von Bedeutung, welche unter annähernd ähnlichen Umständen lebten oder noch leben. Hierzu zählen z. B. bestimmte

Völker Afrikas, die Sami in Skandinavien sowie verschiedene Völker Asiens. Von ihnen stammt unser heutiges Wissen über den Vorgang ursprünglicher Gerbemethoden. An allererster Stelle sind diesbezüglich allerdings die Indianer Nordamerikas zu nennen, denn auf diesem Kontinent trat besonders die Hirngerbung in allen Kulturarealen und Klimazonen auf, mit Ausnahme der Arktis. Außerdem ist das Verfahren historisch gut dokumentiert und es überlebte sogar bis heute. Bis zum Ende des 19. Jahrhunderts bestritt ein Großteil der Ureinwohner Nordamerikas ihren Lebensunterhalt hauptsächlich mit der Jagd. Traditionell gegerbte Felle und Leder spielten daher eine wichtige Rolle. Neben der Produktion für den Eigenbedarf betrieben diese Völker über Jahrhunderte einen florierenden Pelz- und Lederhandel mit den Kolonialmächten und den späteren

Die luftige, faserige Struktur verleiht dem hirngegerbten Leder seine besondere Weichheit und Atmungsaktivität.

USA. So waren es nicht nur Fallensteller, Pioniere und Waldläufer, welche indianische Leder verwendeten, sondern auch die High Society Europas kleidete sich gerne in Hirngegerbtes, und zwar so lange, bis die chemische Gerberei ihren Einzug hielt und außerdem der Nachschub ausging, da Tiere, wie Bison, Hirsch und Antilope, in Amerika fast bis zu Ausrottung dezimiert worden waren.

In der Mitte des 20. Jahrhunderts waren die alten Gerbeverfahren unter den „Native Americans" fast gänzlich in Vergessenheit geraten. So gab es z. B. 1973 auf der Lakota Reservation „Pine Ridge" in den USA unter 12.000 Indianern nur etwa zehn Frauen, die das traditionelle Wissen bewahrt hatten (Belitz 1973). Etwas besser sah es in Kanada und Alaska aus, denn dort spielten die Jagd und das Fallenstellen weiterhin eine wichtige Rolle.

Es ist unter anderem einigen „weißen" Amerikanern zu verdanken, wie Buck

Slim Schaefer und Jim Riggs, der bereits 1973 eine praktische Anleitung zur Hirngerbung verfasste, welche mit ihrem Enthusiasmus das Verfahren einem größeren Publikum zugänglich machten.

Vor allem in den USA gibt es inzwischen eine steigende Zahl vortrefflicher Gerber, von denen viele ihr Wissen in Kursen und Seminaren weiter vermitteln. Außerdem ist zu diesem Thema ausreichend englischsprachige Literatur erschienen (siehe „Literaturverzeichnis", S. 134).

Die Hirngerbung mit ihrer langen Tradition liefert auch heute noch ein wundervolles Material, welches einerseits weich wie Samt und gleichzeitig robust und strapazierfähig sowie atmungsaktiv ist. Das Herstellen von dauerhaftem und geschmeidigem Leder ist also durchaus kein Hexenwerk. Es bedarf auch keines finanziellen oder technischen Aufwandes, geschweige denn giftiger Chemikalien.

Außerdem steht unter dem Motto „Kleidung – unsere zweite Haut" dem Leder sprichwörtlich der erste Platz zu. Denn dieses Material ist unserer eigenen Haut strukturell am ähnlichsten und damit für den Menschen ein geeignetes Bekleidungsmaterial. Will man dem Institut für Baubiologie und Ökologie in Neubeuern glauben, sollten direkt auf der Haut nur Eiweißfasern getragen werden (Lehmann 1984, S. 8). Dazu zählen Wolle, Seide und eben auch Leder. Die Hirngerbung liefert in dieser Hinsicht ein ideales Material.

Was jedoch die industrielle Lederproduktion betrifft, so sind seit dem Siegeszug der chemischen Industrie unzählige verschiedene Methoden zur Präparation und Nachbehandlung von Leder und Fellen entstanden. Der Vorgänge sind, wie alle anderen Verfahren der modernen Produktion, weitgehend mechanisiert und werden meist mit Hilfe von diversen Chemikalien durchgeführt. Dabei entsteht eine Vielzahl unterschiedlichster Ledersorten, welche häufig nichts mehr mit einem gesunden und natürlichen Produkt zu tun haben. In Mitteleuropa haben hohe Arbeitskosten sowie steigende Umweltauflagen im letzten Jahrhundert zum Niedergang der heimischen Gerbeindustrie geführt. Ein Großteil aller Leder und Felle wird inzwischen im Ausland hergestellt. In deutschsprachigen Raum verbleiben wenige Großbetriebe, wie z. B. die Südleder GmbH in Rehau/Deutschland, sowie eine überschaubare Anzahl von kleinen bis mittelständischen Unternehmen. Die letzte Gerberschule in Reutlingen, Deutschland, hat vor einigen Jahren ihre Tore geschlossen.

Nach historischen Methoden präparierte Leder und Felle sowie das Wissen um ihre Herstellung sind aber auch aus einem weiteren Grund interessant, schließlich liefern sie für die Rekonstruktion historischer und prähistorischer Gegenstände aus tierischer Haut ein authentisches Ausgangsmaterial. Immerhin unterscheiden sich diese Leder auf manche Weise (z. B. äußere Erscheinung, Festigkeit, Haltbarkeit, Haptik, Trageeigenschaften und Geruch) vom modernen, kommerziell erhältlichen Gegenstück und spielen daher eine entscheidende Rolle für die Authentizität der angefertigten Stücke. Aber nicht nur im Bereich des Reenactments (Wiederaufführung, Nachstellung) der lebendigen Geschichtsvermittlung an Museen können derartige Leder von Wert sein, auch für Ethnologen, Archäologen und Restauratoren dürften praktische Kenntnisse historischer Gerbeverfahren von Interesse sein, um mit dem entsprechenden Wissen auf die jeweiligen Herausforderungen ihrer Wissenschaftsbereiche in Bezug auf den bedeutenden Flächenwerkstoff Leder reagieren zu können.

Ich selbst habe meine Gerberkarriere in Kanada begonnen. Dort gerbte ich 1995 auf dem „Northern Lights Primitive Skills Gathering" mein erstes eigenes Hirschleder. Während der folgenden neun Jahre, die ich in den USA verbrachte, machte ich die Bekanntschaft von vielen ausgezeichneten Gerbern, wie Matt Richards, Steven Edholm und Tamara Wilder, Lynx und Digger, Jim Miller sowie Dave Bethke. Mit den meisten von ihnen verbrachte ich Tage oder Wochen, um die Praxis der Hirngerbung zu erlernen.

METHODEN DES GERBENS – EIN ÜBERBLICK

Heutzutage ist eine große Bandbreite verschiedener Gerbemethoden bekannt, welche eine hohe Anzahl unterschiedlicher Produkte für den modernen Gebrauch liefert. Vom flammenresistenten Lederpolster für Luxus-Limousinen bis zum so genannten medizinischen Lammfell für den Kinderwagen.

Prinzipiell lassen sich die verschiedenen Verfahren jedoch in drei Kategorien zusammenfassen, wobei es jedoch Überschneidungen gibt.

GERBUNG MIT FETTEN/SÄMISCHGERBUNG

Wie eingangs beschrieben, handelt es sich bei der Verwendung von Fetten wohl um die älteste Herangehensweise, um Häute geschmeidig zu machen. Allerdings unterscheidet der Fachmann hier zwei verschiedene Methoden. Erstens, die „Echte Gerbung", bei welcher mit Hilfe oxidativer Öle und Fette eine chemische Veränderung in der Struktur der Haut stattfindet, welche hauptsächlich durch Fischöle, wie Dorschtran, erreicht wird. Dies ist als Sämischgerbung bekannt. Zweitens gibt es die so genannte „Unechte Gerbung", das bedeutet, dass die Hautstruktur nicht chemisch und dauerhaft beeinflusst wird, die Geschmeidigkeit also reversibel ist. Dazu wird auch die Hirngerbung gezählt.

Allerdings nur bis zu dem Punkt, wo das Räuchern angeschlossen wird, denn danach ist auch diese Methode irreversibel. Welche genauen chemischen Vorgänge der Rauch in der Haut bewirkt, ist nicht vollends geklärt, bekannt ist allerdings, dass hier verschiedene Aldehyde am Werk sind. Diese sind aus der so genannten „Aldehyd-Gerbung" bekannt und liefern somit einen Hinweis auf die Wirkung des Räucherns. Übrigens fällt eine weitere Methode unter die Kategorie „Falsche Gerbung", und zwar diejenige mit Alaun (siehe S. 19 f.).

Fettgegerbte Häute sind weich und anschmiegsam, ähnlich dem, was gemeinhin als Wildleder bekannt ist, und werden häufig zu Bekleidung verarbeitet.

PFLANZLICHE GERBUNG

Auch die Anfänge dieser Methode reichen weit in die Vergangenheit zurück. Seit mindestens 5.000 Jahren ist die so genannte „Pflanzliche oder vegetabile Gerbung" bekannt, wie Funde aus Ägypten belegen.

Hierbei werden die Tanine oder Gerbstoffe, welche in verschiedenen Pflanzenteilen vorkommen, verwendet. Dabei handelte es sich hierzulande hauptsächlich um Gerbstoffe aus der Rinde von Bäumen, hauptsächlich von Eiche und Fichte. Inzwischen kommen auch exotischere Pflanzen zum Einsatz, wie z. B. Tara aus Südamerika oder Akazienrinde (Mimosa). Seit einigen Jahren wird auch mit Rhabarberwurzel gearbeitet. Historisch ist die pflanzliche Gerbung hierzulande als Rotgerberei, Lohgerbung oder Grubengerbung bekannt. Sie wurde hauptsächlich für Rinderhäute angewandt und ergab ein schweres, festes und stabiles Leder, wie es für Sattelzeug, Gurte, Schuhe, Treibriemen und dergleichen benötigt wurde. Bis ins frühe 20. Jahrhundert war dies in Europa die vorherrschende Gerbemethode.

MINERALISCHE/CHEMISCHE GERBUNG

Eine ebenfalls historisch gewachsene Methode, welche sich die Eigenschaften von anorganischen Stoffen zunutze machte, ist die mineralische Gerbung. Hierbei handelt es sich hauptsächlich um die Verwendung des Aluminiumsalzes Alaun, welches ursprünglich natürlich vorkommend abgebaut oder aus Erden und Schiefern gewonnen wurde. Inzwischen wird der Stoff aber synthetisch hergestellt. Das Verwenden von Alaun in Zusammenhang mit anderen Hilfsstoffen ist auch als Weißgerberei bekannt und führt bei mittelgroßen und kleinen Häuten zu feinen, edlen und weichen Ledersorten, z. B. für die Fertigung von Taschen und Handschuhen. Die jüngste Entwicklung, welche sich ab der zweiten Hälfte des 19. Jahrhunderts durchgesetzt hat, ist schließlich die chemische oder synthetische Gerbung.

Neben einer zunehmenden Mechanisierung und Industrialisierung aller Arbeitsprozesse gewann die Verwendung verschiedenster Chemikalien an Bedeutung, um die Gerbedauer zu verkürzen und damit zu verbilligen. Am bedeutendsten ist

ÜBRIGENS! Kombination von Fell- und pflanzlicher Gerbung

Man kann auch Fettgerbung und pflanzliche Gerbung kombinieren. Bei einer derartigen Mischgerbung wird die Haut nach dem Schaben erst einige Stunden oder Tage in Pflanzensude eingelegt und danach weiterbehandelt wie bei der gewöhnlichen Fettgerbung. Diese aus Fichten-, Eichen- oder Weidenrinde aufgekochten Sude färben die Haut einerseits in verschiedenen Brauntönen und verleihen ihr bei längerer Behandlung zusätzlich eine kompaktere und festere Struktur.

hierbei die Verwendung von Chromsalzen. Chromgegebte Häute haben zumeist eine bläuliche Farbe und der größte Teil aller weltweit verarbeiteten Häute wird heutzutage mit dieser Methode behandelt. Dabei ist sie mit erheblichen Umwelt- und Gesundheitsbelastungen verbunden. Eine weitere bekannte und ebenfalls auf synthetischen Stoffen beruhende Gerbung ist die mit Relugan©, welche vor allem bei Schaffellen angewandt wird und gesundheitlich als unbedenklich gilt.

ETHIK DES GERBENS, RECHTLICHE GRUNDLAGEN UND HYGIENE

Historisch gesehen, steht der Mensch in einer sehr engen materiellen, emotionalen und geistigen Verbindung zu seinen vierbeinigen Verwandten. Ein Teil dieser Beziehung beinhaltet allerdings das Töten von Tieren für die menschliche Nutzung. Die grundsätzliche moralische Diskussion, ob diese Praxis in einer modernen Gesellschaft noch einen Platz hat und, wenn ja, in welcher Form, muss immer wieder aufs Neue geführt werden. Doch ist der Rahmen dieses Buches nicht der Ort, daran teilzunehmen.

Fakt ist, dass Menschen, welche in unmittelbarer Nähe und Abhängigkeit von Tier und Umwelt leben, wie z. B. so genannte Naturvölker, eine Einstellung verehrender und respektvoller Achtung dem Tier gegenüber an den Tag legen, welche dem modernen Menschen weitestgehend verloren gegangen ist. Das beinhaltet auch den ganzheitlichen Ansatz, vom getöteten Tier so viel wie möglich zu verwerten und nichts zu verschwenden. Allein aus ökonomischer Sicht ist es daher konsequent, auch die anfallenden Häute zu verarbeiten. Heutzutage spielen diese als Nebenprodukt von Schlachtung und Jagd wirtschaft-

lich eine untergeordnete Rolle. Sehr häufig landen die Häute von getöteten Tieren sogar im Müll.

Der Hobbygerber, welchem diese Thematik am Herzen liegt, wird sich im Sinne von Ökologie und Nachhaltigkeit des-

Von der Haut bis zu den Zutaten ist alles Natur und voll ökologisch! Das macht Appetit auf mehr.

wegen auch nach einer Gerbemethode für diese Häute umsehen, welche diesen ethischen Ansatz widerspiegelt, denn ein schonender Umgang mit Ressourcen sowie Umweltbewusstsein und Naturbelassenheit sind mehr denn je zukunftsweisende Werte. In diesem Zusammenhang stellt die in diesem Buch dargestellte Herangehensweise die optimalste Methode dar, da sie gänzlich auf umweltbelastende Stoffe verzichtet. Es bedarf keiner Maschinen oder Chemikalien, sondern lediglich Geduld, etwas Knowhow und Fingerspitzengefühl sowie die Gaben der Natur, um tierische Häute in wunderbar natürliche Produkte zu verwandeln: Ein ökologischer Upcycling-Prozess also.

Außerdem erhält man Einblicke in natürliche Schaffensprozesse, erlebt traditionelle Handarbeit hautnah und verspürt das befriedigende Gefühl, etwas von Anfang bis Ende selbst hergestellt zu haben. Nicht zuletzt ist es auch ein Weg, um den Tieren, deren Felle man in den Händen hält, ein Stück näher zu kommen.

Trotzdem gilt es, einige Dinge zu bedenken, schließlich kann auch der Hobbygerber mit den Thematiken Tierrecht, Hygiene und Abfallbeseitigung in Kontakt kommen. Wer selbst Nutztiere hält oder auf die Jagd geht, sollte mit diesen Regelungen ohnehin vertraut sein. Der Freizeitgerber aber, welcher lediglich frische Häute von Züchtern, Jägern oder Schlachthöfen bezieht, wird im Rahmen der hier beschriebenen Methode generell kaum von solchen Regelungen tangiert, denn zu gering sind die anfallenden Abfallmengen und zu harmlos die verwendeten Substanzen. Was die Ent-

Das Tragen von Gummihandschuhen während der Arbeit ist optional, stellt aber den sichersten Schutz gegen Infektionen und die Übertragung von Krankheiten dar.

sorgung von Abfällen wie Haare, Haut- und Schabereste betrifft, wird kaum etwas über den Rahmen der gängigen Hausmüll- und Kompostentsorgung hinausgehen. Hier ist besonders die persönliche Verantwortung des Einzelnen gefragt. Wer größere Mengen an Häuten auf einmal bearbeitet, kann auch bei örtlichen Schlachthäusern und Abdeckereien vorsprechen, denn häufig lassen sich die Abfälle dort gegen eine geringe Gebühr entsorgen.

Was hingegen die Hygiene bei der Arbeit und mögliche Übertragung von Krankheiten oder Infektionen betrifft, gilt es, einige Punkte zu beachten. Beim Gerben hat man es grundsätzlich mit sich zersetzender tierischer Biomasse zu tun, welche zusätzlich von Schmutz und Kotresten verunreinigt sein kann. Um Blutvergiftungen und Übertragung anderer Krankheiten zu vermeiden, können während der Arbeit Gummihandschuhe getragen werden. Dies ist auf jeden Fall zu empfehlen, sollten sich offene Wunden an den Händen befinden. Besser ist es jedoch, man verschiebt die Arbeit in einem solchen Fall, bis diese wieder verheilt sind.

Außerdem ist es möglich, dass die frischen Felle von Parasiten befallen sind, welche sich, sobald der Tierkörper erkaltet ist, nach einem neuen Wirt umsehen. Hierbei sind es hauptsächlich Flöhe und vor allem Zecken, welche auf den Gerber übersiedeln und gefährliche Krankheiten übertragen können, wie z. B. Borreliose und FSME. Also gilt es, auf der Hut zu sein und Häute z. B. im Auto nur in verschlossenen Plastiksäcken zu transportieren. Während und nach der Arbeit sollte man Arme und Kleidung nach diesen Plagegeistern absuchen.

Die Hirschlaus (*Lipoptena cervi*) ist ein weiterer Blutsauger, der vor allem Wildtiere, wie Reh und Hirsch, befällt und besonders im Herbst verbreitet auftritt. Sie kann auch den Menschen stechen, aber eine Übertragung von Krankheiten gilt dabei als nicht gesichert.

Die Dasselfliege (*Hypoderma diana*), welche ebenfalls Huftiere befällt, ist für den Menschen ungefährlich, kann aber die Qualität der von ihr befallenen Häute beeinträchtigen (siehe S. 29).

Möchte man Fuchsbalge gerben, stellt der so genannte Fuchsbandwurm einen weiteren Gefahrenherd dar. Dieser Parasit kann in Form seiner über den Darm ausgeschiedenen Eier, welche im Fell verbleiben können, über Mund und Atemwege des Gerbers aufgenommen werden und eine schwerwiegende Erkrankung nach sich ziehen. Selbst ein Einfrieren von toten Füchsen oder deren Fellen ist erst ab −80 °C erfolgreich. Mundschutz und Einweghandschuhe sind daher empfehlenswert, außerdem kann ein Befeuchten des Haarkleides das Umherfliegen der kleinen Eier verhindern. Das Tragen gesonderter Kleidung beim Hantieren mit Fuchskadavern oder deren Fellen wird ebenfalls angeraten.

Außerdem sei für den Fett- bzw. Hirngerber auch das Thema BSE (Rinderwahnsinn) zu erwähnen. Denn dieser Erreger kann sich in der Gehirnmasse von Boviden, also Rindern, befinden. Da deren Hirn deswegen aber seit dem Jahr 2000 öffentlich nicht mehr erhältlich ist, stellt der Erreger keine direkte Gefahr dar. Beim Metzger kann aber auf Nachfrage weiterhin das Hirn anderer Tiere bestellt werden. Auch solches, welches man selbst aus Jagdbeute oder Nutztieren, wie Schaf oder Ziege, extrahieren möchte, stellt also keine Gefahr dar, da BSE auf die Hirnmasse von Boviden beschränkt ist.

DIE PRAXIS – LEDER, FELLE UND PELZE MIT FETTEN UND RAUCH SELBST GERBEN

GRUNDVORAUSSETZUNGEN

Gegerbt werden kann grundsätzlich nahezu überall: Im Keller, in der Garage oder Scheune, im Garten, manchmal auch im Wohnzimmer. Der Anspruch an Platz und notwendiger Ausrüstung ist gering und theoretisch besitzt jeder Haushalt fast alle notwendigen Mittel, um mit etwas Improvisationstalent und ohne viele Vorbereitungen sofort mit der Arbeit zu beginnen. Das macht schließlich auch einen Teil des Reizes dieser Methode aus. Man braucht dazu nicht viel.

Grundvoraussetzung ist also erst einmal ausreichend Platz, wobei der beste Ort für das Gerben zweifellos unter freiem Himmel ist, solange es das Wetter zulässt.

Außerdem braucht man einen Zugang zu Wasser. Wer dieses aus dem Wasserhahn beziehen muss, sollte, wenn er etwas haushält, mit etwa 40–50 Litern pro Haut rechnen. Außerdem bedarf es je nach Haut einer entsprechend großen Wanne oder eines Eimers zum Waschen, Einweichen

Verschiedene Substanzen, die beim Gerben Verwendung finden: Salz zum Konservieren (links), Holzasche oder Kalk zur Vorbehandlung und Essig (Flasche) zum Neutralisieren geäscherter Häute.

Eine Auswahl verschiedener Behälter, die sowohl beim Transport als auch beim Einweichen und Waschen zum Einsatz kommen.

und Äschern. Eine 50 Liter fassende Regentonne oder dergleichen ist ideal für das Einweichen von mehreren Fellen gleichzeitig. Für die Arbeit mit kleinen Pelzen sind entsprechend kleinere Behältnisse notwendig.

Alle weiteren notwendigen Ausstattungsgegenstände werden in den jeweiligen Kapiteln besprochen.

Natürlich sollte auf jeden Fall alte Kleidung getragen werden, denn bei der Arbeit wird man eventuell nass und schmutzig. Eine wasserabweisende Schürze ist ebenfalls von Vorteil.

Wenn man nach der Arbeit, besonders nach dem Entfleischen und dem Enthaaren, ordentlich aufräumt, entstehen dauerhaft auch keine unangenehmen Gerüche und man lockt kein Ungeziefer an. Wenn es bei der Gerberei wirklich stinkt, dann ist etwas schiefgelaufen, sprich, es verfault etwas und das ist bestimmt nicht das,

was man während des Gerbens erreichen möchte.

Der zeitliche Aufwand ist natürlich abhängig von Größe und Art der zu bearbeitenden Häute, aber ein freies Wochenende sollte im Normalfall für den Novizen ausreichen, um ein Leder, ein Fell oder einen Fuchspelz fertig zu stellen.

ÜBRIGENS! Unterbrechen der Arbeit

Wenn die Zeit knapp wird, kann eine Haut in jedem Arbeitsstadium einfach eingefroren werden. Damit ist sie erst einmal konserviert und man kann sich anderen Dingen zuwenden. Beizeiten taut man die Haut dann wieder auf und macht dort weiter, wo man aufgehört hat.

Zum Einfrieren rollt oder faltet man die Haut eng zusammen, packt sie in eine Plastiktüte, presst alle Luft heraus, knotet die Tüte zu und steckt sie ins Gefrierfach.

DIE AUSWAHL, BESCHAFFUNG UND QUALITÄT DER ROHWARE

ÜBRIGENS! Definitionen

In diesem Buch werden ständig die Begriffe Haut, Fell, Pelz und Leder verwendet.

Der Begriff „Haut" dient in diesem Zusammenhang als Überbegriff und bezeichnet grundsätzlich die tierische Haut im Rohzustand, also ungegerbt, und zwar entweder mit Haar oder ohne.

Als „Fell" wird die Haut von größeren Tieren, wie Ziege, Reh, Hirsch oder Bison, angesprochen, bei denen das Haarkleid intakt bleibt; entweder gegerbt oder ungegerbt.

Als „Pelz" definieren sich die Häute kleinerer Tiere, wie Wiesel, Hase, Fuchs oder Waschbär.

Als „Leder" wird eine fertig gegerbte Haut ohne Haarkleid bezeichnet.

Rothirsch in seinem Lebensraum

Ansicht der bereits geschabten Fleischseite einer Wildschweinschwarte. Die Haare werden beim Bearbeiten durch die Haut gezogen. Wildschweinhäute eignen sich nicht für die hier beschriebene Gerbemethode.

Grundsätzlich können die Häute aller Säugetiere fettgegerbt werden.

Für die Fell- oder Lederherstellung am besten geeignet sind in unseren Breitengraden die Häute von Wildtieren, wie Reh, Rot- und Damhirsch, Muffelwild oder Gämse. Aber Nutztiere, wie Ziege, Schaf und Kalb, können natürlich ebenfalls verwendet werden. Große Häute, wie von Rind, Pferd, Elch oder Bison, sind natürlich auch zu gebrauchen, erfordern aber erheblich mehr Arbeit und stellen daher keine Anfängerprojekte dar. Hingegen ist eine Reh-, Ziegen- oder eine kleine Damhirschhaut gewiss das beste Projekt für den Einsteiger.

Es gibt einige Tierarten, die sich nicht eignen oder deren Bearbeitung besonders aufwändig ist. Meine Versuche mit Wildschweinfellen z. B. beschränken sich auf wenige Exemplare. Sie sind für die hand-

Fuchs im winterlichen Wald

werkliche Fettgerbung, wie sie hier beschrieben wird, ungeeignet, da die Haare sehr tief in die Retikularschicht hineinreichen und beim Dünnschaben und Dehnen zu Tausenden ausgehen. Außerdem ist die Haut sehr dick und zäh.

Ähnliches gilt für den Dachs, der aber wegen seiner geringeren Größe durchaus angegangen werden kann, wenn auch seine Haut nie so weich und geschmeidig werden wird wie z. B. die eines Fuchses. Weitere verbreitete Pelztiere sind Marder, Waschbär, Kaninchen/Feldhase, Biber, Nutria und einige andere.

Es ist leichter, an frische Tierfelle zum Gerben heranzukommen, als man gemeinhin annehmen möchte.

So werden z. B. allein in Deutschland jährlich über 1,2 Million Rehe und über 400.000 Füchse geschossen und der Groß-

v.L.n.R. Messerschnitte auf der Fleischseite einer geschabten Hirschhaut; Vernarbtes Gewebe auf der Narbenseite/Haarseite einer bereits geschabten Hirschhaut; Befall durch die Dasselfliege. Diese Hirschhaut weist viele kleine beulenartige Geschwülste auf, die während des Schabens zu Löchern aufreißen können.

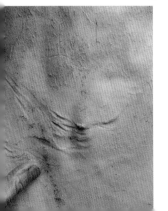
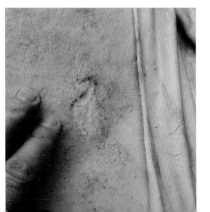

ÜBRIGENS! Fischhäute

Man kann auch Fischhäute mit Fett und Rauch gerben. Bei vielen nordischen Völkern spielte Fischleder eine bedeutende Rolle. Die Nanai aus Sibirien sind hierfür besonders bekannt. Der Vorgang ist grundsätzlich derselbe wie für die Haut von Säugetieren. Ein Versuch ist es wert.

teil der Häute dieser Tiere landet in der Mülltonne!

Viele Jäger und Förster sind jedoch froh, wenn sich jemand für die Häute der von ihnen erlegten Tiere interessiert. Meist sind sie daher auch kostenlos erhältlich.

Das einzige Problem dabei ist, dass sie oftmals beim Abziehen übel zugerichtet werden und sehr viele Löcher aufweisen. Sieht eine frische Haut wie ein Schweizer Käse aus, ist sie die Arbeit nicht wert, wohingegen zwei oder drei Löcher kein Problem darstellen, da sie später zugenäht werden können.

Nicht umsonst heißt es, dass man ein Tier „aus der Decke *schlägt*" oder ihm „das Fell über die Ohren *zieht*". Ein Kadaver kann mit nur minimalem Messereinsatz gehäutet werden, ohne viel daran herumzuschneiden. Eine andere Möglichkeit besteht darin, Häute von Wildzüchtern zu erhalten, welche ihre Tiere ebenfalls meist nur wegen des Fleisches halten und die Häute gerne gegen eine geringe Gebühr von ein paar Euro abgeben.

Außerdem gibt es Metzgereien und Schlachthöfe, welche neben Nutztieren auch Wildtiere verarbeiten und auf Anfrage eventuell deren Häute abgeben.

Tiere, welche dem Straßenverkehr zum Opfer gefallen sind, bieten eine weitere interessante Bezugsquelle. Offiziell ist ihr Auflesen allerdings verboten, außer man besitzt die Zustimmung des zuständigen Jagdpächters.

Gelegentlich wird man eventuell eine bereits vollständig geschabte und dann getrocknete Haut zum Gerben angeboten bekommen. Diese so genannten Rohhäute lassen sich ebenfalls zu Leder gerben, haben aber den Haken, dass sie vor dem Bearbeiten sehr lange eingeweicht und gewalkt werden müssen. Sie sind daher, bis auf kleine und dünne Häute, eher ungeeignet.

Es lohnt sich, alle Häute sorgfältig auszuwählen und neben Löchern auch auf eventuelle Messerschnitte zu achten. Dies sind beim Häuten entstandene Schnitte, welche manchmal tief ins Gewebe gehen und daher die Haut so weit schwächen, dass sie beim späteren Bearbeiten an diesen Stellen aufreißen kann. Beim Kauf von gesalzenen Häuten sind ebenfalls die Lagerungsbedingungen für die Qualität entscheidend, außerdem ist es oft schwierig zu erkennen, wie viele Löcher oder Messerschnitte diese haben, da sie häufig verkrustet und faltig sind. Schäden durch vernarbtes Gewebe, Bissstellen oder Nagetierbefall fallen oft erst später auf, stellen aber häufig keinen großen Schaden dar.

Einmal erhielt ich von einem Jäger ein Rehfell, welches mir auf den ersten Blick in gutem Zustand erschien, außer dass es mit vielen kleinen Blutflecken übersät war. Als ich es später wusch und etwas streckte, erwiesen sich die Blutstellen als kleine Löcher. Hier hatte jemand mit Schrot geschossen und die Haut dadurch unbrauchbar gemacht.

Zuverlässige Lieferanten von ordentlich abgezogenen, konservierten und gelagerten Häuten sind jedenfalls Gold wert und der Mehraufwand, der ihnen durch die besondere Sorgfalt entsteht, sollte durchaus entlohnt werden. 2018 waren 5–10 Euro ein gängiger Preis für eine frische Hirschhaut.

Die Häute verschiedener Tiere unterscheiden sich nicht nur darin, wie sie abgezogen wurden, sondern auch bezüglich verschiedener anderer Faktoren. So bestimmen z. B. Geschlecht und Alter sowie Klima und Lebensbedingungen die verschiedenen Qualitäten der Haut. Die Hautstruktur von männlichen Tieren ist grundsätzlich dicker und dichter als jene weiblicher Tiere. Ebenso sind die Häute von älteren Tieren fester als die von jüngeren. Sie alle eignen sich jedoch für die Hirngerbung und bei der Auswahl kommt es hauptsächlich darauf an, was man nach dem Gerben damit vorhat.

Außerdem unterziehen sich alle Säugetiere in gemäßigten und arktischen Klimazonen zweimal jährlich einer Mauser. Dieser Fellwechsell bedeutet eine vollständige Ersetzung des Haarkleides, um sich den veränderten Temperaturen der Jahreszeiten anzupassen. Bei vielen Nutztieren fällt diese jedoch oft weit unauffälliger aus als bei freilebenden Wildtieren. Für die Lederherstellung spielt dieses Phänomen eine untergeordnete Rolle, da die Haare dabei sowieso entfernt werden. Will man

hingegen die Haut mit dem Haar erhalten, also Felle oder Pelze gerben, gilt es zu beachten, dass das Haarkleid im Winter generell länger, feiner und dichter ist. Allerdings ist bei Tieren, wie Hirsch, Reh und Rentier, das Innere der einzelnen Haare, das Haarmark, im Winter sehr dick und mit viel Luft gefüllt. Dadurch ergeben sich zwar optimal isolierende Qualitäten, andererseits bedeutet es, dass die einzelnen Haare bei starker mechanischer Beanspruchung leicht brechen. Ein weiterer Einfluss des Jahreszeitenwechsels ist der, dass die Dichte des Haarkleides generell in umgekehrtem Verhältnis zur Stärke der Lederhaut steht. Das bedeutet, dass die Lederhaut im Winter dünner ist als im Sommer.

In den Zeiten des Haarwechsels, also im Frühjahr und Herbst, muss man also damit rechnen, dass Felle und Pelze Haare lassen werden. Dieser Prozess lässt sich auch durch die Gerbung nicht aufhalten, daher sind Häute aus diesen Jahreszeiten, so genannte „Übergangsfelle", für eine Gerbung mit Erhaltung des Haarkleides ungeeignet.

Bei der Frage, wann nach dem Ableben des Tieres eine Gerbung beginnen muss, bevor die Haut verdirbt, spielen ebenfalls einige Faktoren eine Rolle. Die Weiterverarbeitung einer frisch abgezogenen Haut sollte möglichst zeitnah vorgenommen werden, da sofort nach dem Tod die Zersetzung durch Fäulnis beginnt. Diese hat natürlich nicht sofort wahrnehmbare Folgen, aber die Haut sollte baldmöglichst der Gerbung oder aber einer vorübergehenden Konservierung zugeführt werden. Zu den Methoden des Konservierens folgen weiter unten die Details.

Einen großen Einfluss auf die fortschreitende Fäulnis einer Haut haben die vorherrschenden Temperaturen. Dies bedeutet, dass bei moderaten Temperaturen von um die 10 °C spätestens 1–2 Tage nach dem Schlachten eine Weiterverarbeitung bzw. Gerbung stattfinden sollte. Kälte dämmt die Fäulnis ein, Wärme begünstigt sie. Besonders wenn das Haarkleid erhalten bleiben soll, ist es wichtig, so schnell wie möglich ans Werk zu gehen, da sich die Fäulnis als Erstes durch ein Ausfallen der Haare bemerkbar macht.

Andererseits gibt es eine Methode der kontrollierten Fäulnis, um Häute zu enthaaren, die so genannte „Schwitze" (siehe unter „Der Äscher", S. 41 ff.)

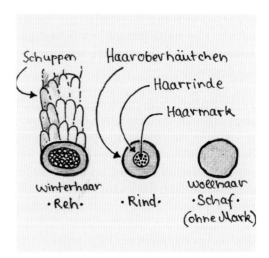

Querschnitt durch das Haar verschiedener Tiere. Das Haarmark enthält sehr wenig Substanz. Haar mit ausgeprägtem Haarmark bricht daher schneller bei starker Beanspruchung ab.

SELBST ENTHÄUTEN

Wer selbst auf die Jagd geht, eigene Tiere züchtet oder sich aus irgendeinem anderen Grund damit konfrontiert sieht, einem Tier das Fell über die Ohren ziehen zu müssen, für den seien hier die entsprechenden Grundlagen beschrieben.

Der Vorgang des Häutens ist prinzipiell unabhängig von der Größe des Tiers. Somit können die folgenden Beschreibungen im Grundsatz sowohl für Hasen und Füchse, als auch für Ziegen oder Hirsche angewandt werden. Jede Tierart stellt dabei natürlich, nicht nur was den Arbeitsaufwand betrifft, ihre eigenen Herausforderungen und die Vorgehensweise muss gelegentlich entsprechend angepasst werden.

Grundsätzlich gilt, dass sich frische und noch warme Körper leichter abziehen lassen als bereits erkaltete. Für diese Arbeit bedarf es lediglich eines scharfen, mittelgroßen Messers.

Die offene Methode

Dies ist die klassische Herangehensweise. Dazu wird das Tier gewöhnlich an den Hinterbeinen mit dem Kopf nach unten in bequemer Arbeitshöhe aufgehängt. Alternativ kann auch auf einem Tisch oder dem Boden gearbeitet werden. Dann sollte man allerdings eine saubere Plane unterlegen und bei größeren Tieren eine zweite Person zur Hilfe haben. Nun vollführt man jeweils einen Rundschnitt an den Hinterbeinen in der Höhe des Fersengelenks (Mittelfuß). Dann folgt jeweils ein Schnitt von dort entlang der Innenseite der Hinterbeine, welche sich am Anus treffen. Ein Dritter Schnitt folgt von dort den Bauch und Brustkorb entlang bis zur Kehle. Soll der Kopf mit abgehäutet werden, führt man diesen Schnitt weiter fort bis zur Unterlippe. Soll der Kopf hingegen nicht erhalten bleiben, folgt am Hals ein weiterer Rundschnitt. Von der Mitte der Brust werden nun zwei weitere Schnitte angesetzt, welche jeweils der Innenseite der Vorderbeine folgen und ebenfalls mit einem Rundschnitt an den Fersengelenken enden. Um die langen Schnitte durchzuführen, fährt man mit der Klinge unter die Haut, sodass die Schneide nach oben, also vom Tierkörper weg, deutet, und schlitzt die Haut auf diese Weise in einem gleichmäßigen Zug auf.

Nun ist man bereit, das Tier aus der Decke zu schlagen, wie es bei großen Tieren auch genannt wird. Beginnend an einem der Hinterläufe wird die Haut nun

ÜBRIGENS! Alternative Schnittführung

Dies ist die klassische Schnittführung, welche von den meisten Leuten vorgenommen wird. Sie liefert aber eine Haut, welche unterhalb der Vorderläufe durch eine Engstelle gekennzeichnet ist, was die verwendbare Fläche des fertigen Leders reduziert. Ein nicht zu vernachlässigendes Problem, wenn man seine gegerbten Häute weiterverarbeiten will. Abhilfe schafft es, die Schnitte für die Vorderläufe weiter nach außen zu verschieben und ihren Treffpunkt auf der Mittellinie weiter weg von der Brust in Richtung Nacken zu versetzen. Das gleiche kann auch an den Hinterläufen praktiziert werden. Positioniert man die Schnitte weiter nach außen, so erhält man eine quadratischere Gesamtform der abgezogenen Haut.

Beim Abziehen der Haut sollte man darauf achten, die Beinschnitte möglichst weit außen anzusetzen. So erhält man eine quadratischere Grundform.

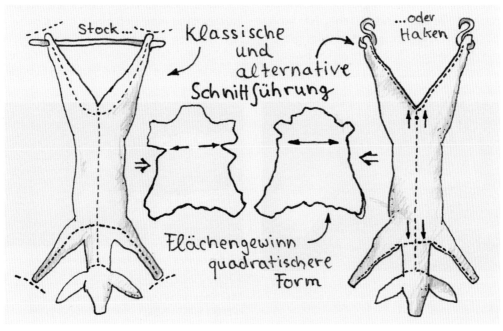

vorsichtig vom darunterliegenden Gewebe geschnitten und Richtung Körpermitte weggezogen. Prinzipiell gilt es, das Messer so wenig wie möglich und so oft wie nötig einzusetzen. Es bedarf einiger Übung, die unterschiedlichen Gewebeformen, die nun zutage treten, zu unterscheiden und zu erkennen, was an der Haut verbleibt und was nicht. Wenn man die Haut auf Spannung vom Tierkörper weg hält, wird man an den meisten Stellen nur mit Hilfe der Finger, der Faust oder sogar des Ellenbo-

gens zwischen Haut und Fleisch gelangen können. Durch Druck und gleichzeitigen Zug kann man die Haut gewöhnlich vom Körper lösen wie ein fest anliegendes Klebeband von seinem Untergrund. Sind beide Hinterbeine vom Fell befreit und auch der Schwanz gelöst, lässt sich die Haut meist mit einer gleichmäßig fließenden und kraftvollen Ziehbewegung bis zu den Schultern ablösen. Mit den Vorderbeinen und dem Nacken verfährt man entsprechend.

SCHWANZ, KOPF UND FÜSSE

Diese Körperteile werden gewöhnlich nur bei Pelzen mitgehäutet. Das Abziehen stellt besondere Herausforderungen. Der Schwanz z. B.: Bei vielen Tieren, wie Reh oder Hirsch, ist er klein und kurz und wird meist weggeschnitten. Soll er aber verbleiben, wie bei Fuchs, Marder oder Waschbär, weil er lang und buschig ist, so ist besondere Vorsicht geboten. Hier gilt es, die Haare an der Unterseite des Schwanzes so weit zu separieren, dass ein Schnitt von

der Basis, also dem Anus, bis etwa in die Mitte des Schwanzes (auch Rute genannt) angesetzt werden kann. Dann gilt es, den Schwanz bis an diese Stelle vom Rumpf her rundherum vorsichtig frei zu schälen. Die Haut ist hier sehr dünn und verletzlich und reißt schnell ein. Ist dies jedoch geglückt, kann man sich eines Tricks behelfen, um den Rest bis zur Schwanzspitze freizulegen. Mit Daumen und Zeigefinder der linken Hand umklammert man fest die

Dieser Fuchsschwanz wird mit Wäscheklammern offengehalten, um ein zügiges Trocknen zu gewährleisten.

Bei besonders kleinen Pelzen können die Zehenglieder auch im Pelz verbleiben und die Pfote als Ganzes erhalten werden, wie bei diesem Marder. Allerdings muss man dann besonders auf ein zügiges und durchgehendes Trocknen achten.

Für eine möglichst naturgetreue und aufrechte Stellung der Ohren am fertigen Pelz entfernt man die knorpeligen Teile im Ohr nicht, somit trocknen auch diese steif auf. Ein Lösen der Innenohr-Knorpel bis in die Spitze hingegen ergibt „weiche", aber dafür hängende Ohren (siehe die „Schamanenhaube", S. 127 ff.).

denn es gilt, die Haut von den einzelnen Zehen möglichst bis zum letzten Zehenglied vor den Krallen zu lösen. Beim Durchtrennen der letzten Zehenglieder kann es hilfreich sein, eine kleine, spitze Beißzange (Seitenschneider) parat zu haben. Das dicke Gewebe der Pfoten, besonders an den Ballen, sollte entfernt werden, da es sehr langsam trocknet und sonst hart und steif wird.

freigelegte Stelle in der Mitte des Schwanzes, genau dort, wo der Schnitt endet und das Fell weiterhin am Rest des Schwanzes anhaftet. Mit der Rechten ergreift man den felllosen Schwanzansatz, um dann mit einem kräftigen, gleichmäßigen Ruck die Schwanzspitze aus dem verbleibenden Fell herauszuziehen. Danach gilt es, die dadurch entstandene schlauchförmige Restschwanzhaut aufzuschneiden. Sollen auch die Pfoten am Fell verbleiben, muss man sich auf eine kniffelige Arbeit einstellen,

Das Abziehen des Kopfes stellt besonders wegen der Öffnungen von Augen und Ohren eine weitere Herausforderung dar. An diesen Stellen gilt es, besonders vorsichtig mit dem Messer zu hantieren, um diese Öffnungen nicht ungewollt zu vergrößern. Dabei hält man die bereits gelöste Haut am besten auf Zug vom Körper des Kadavers weg und fährt mit dem Messer immer haarscharf entlang des Schädelknochens vom Hinterkopf bis an die Ohren. Dort durchtrennt man die Knorpel am Gehörgang und arbeitet sich zu den Augen vor. Hier durchtrennt man die dünne Membran zwischen Augapfel und Lid und löst schlussendlich Lefzen und Nase vom Schädel. Das vollständige Abbalgen von Haarraubwild (Fuchs, Marder, Dachs usw.) stellt wohl die langwierigste und komplexeste Art des Abziehens dar.

DIE SCHLAUCH-METHODE

Diese Vorgehensweise ergibt so genannte „geschlossene" oder „runde" Felle und Pelze und stellt eine Variante der oben beschriebenen dar. Dabei wird die Haut ohne den Längsschnitt vom Anus zum Kopf und damit in Form eines Schlauches abgezo-

gen. Diese Vorgehensweise wird hauptsächlich für Pelze angewandt, kann aber auch an Ziegen oder Schafen verwendet werden. Dazu wird die Haut der Hinterbeine und des Schwanzes gelöst und dann praktisch umgekrempelt und wie ein Pullover über den Körper abgestreift. Sollen die Vorderbeine verbleiben, werden diese mit jeweils einem Längsschnitt separat gelöst.

Eine abgewandelte Form dieser Methode ist es, die Haut vom Kopf her zu lösen. Dazu bringt man nur einen einzigen Schnitt rund um das Maul an und krempelt die Haut von dort wie einen Pullover oder einen Strumpf um und entfernt sie auf diese Weise zum Anus hin vom Körper. Eine überaus kniffelige und langwierige Arbeit, welche aber dafür mit einem völlig unversehrten Fell belohnt wird. Die Beine können dabei ebenfalls intakt bleiben oder müssen zumindest am Ende der Läufe mit kurzen Längsschnitten freigelegt werden. Hier darf experimentiert werden. Im Engli-schen gibt es dazu ein Sprichwort: *"There are many ways to skin a cat."* Was so viel heißt wie: *„Viele Wege führen nach Rom."*

Das Abziehen selbst vorzunehmen, birgt einige Vorteile. Einerseits lernt man das Tier und seine Anatomie näher kennen, andererseits kann das Fell auf die gewünschte Weise vom Kadaver entfernt werden.

Bei bereits erkalteten Tierkörpern sitzt die Haut recht fest und es erfordert mehr Arbeit, sie zu lösen. Um möglichst keine Löcher in den Pelz zu schneiden, sollte der Einsatz des Messers auf ein Minimum reduziert werden. Andererseits muss, wo kein Ziehen hilft, wie z. B. bei der Schwarte eines fetten Dachses oder eines Wildschweins, die Haut regelrecht vom Körper losgeschnitten werden.

KONSERVIERUNG UND LAGERUNG DER ROHWARE

Können frische Häute nicht gleich weiterverarbeitet werden, müssen sie konserviert werden, um ein Verfaulen oder „Verstinken", wie es heißt, zu verhindern. Ansonsten werden sie für die Weiterverarbeitung wertlos. Wie lange eine Haut als frisch und verwertbar gilt, hängt von den Faktoren Zeit und Temperatur ab und auch davon, ob das Haarkleid erhalten bleiben soll oder nicht. In einem warmen und feuchten Umfeld kann es sehr rasch zu Schäden kommen, während gekühlte Häute einige Tage frisch bleiben können, bevor sie einer Konservierung zugeführt werden müssen.

Zur Konservierung stehen grundsätzlich drei Methoden zur Verfügung: Einsalzen, Einfrieren oder Trocknen.

Das Einsalzen

Das Einsalzen ist die verbreitetste Methode der Konservierung. Gesalzene Häute können gleichfalls zu Leder oder mit intaktem Haarkleid weiterverarbeitet werden.

Einsalzen und Lagern von frischen Häuten in einem kühlen Kellerraum.

Für diese Methode benötigt man ausreichend Salz und einen geeigneten Lagerplatz. Für große Felle kann Streusalz bzw. Auftausalz oder auch Futtersalz für Nutztiere verwendet werden. Je feiner die Körnung, desto besser für die Haut. Um Pelze zu konservieren, empfiehlt es sich hingegen, besonders feinkörniges Speisesalz zu verwenden. Das Salzen und Lagern sollte an einem kühlen und trockenen Ort erfolgen. Außerdem sollte gewährleistet sein, dass aus den Häuten austretende Flüssigkeiten abfließen können, damit die Häute nicht in einer Salzlake ruhen, da sich sonst Bakterien bilden können, die die Häute schädigen. Um Felle von Hirsch, Schaf oder Ähnlichem einzusalzen, legt man diese mit der Fleischseite nach oben flach ausgebreitet auf den Boden und streicht alle Falten und überlappenden Stellen aus. Nun wird reichlich Salz auf der Rohware aufgebracht und gleichmäßig verteilt. Als Faustregel gilt, dass etwa 30 % des Hautgewichts an Salz benötigt wird. Für einen Damhirsch ist ein Kilo Salz auf jeden Fall ausreichend. Es sollte immer ausreichend Salz vorhanden sein und damit nicht gespart werden. Nun kann die Haut entweder Fleischseite auf Fleischseite zusammengefaltet werden oder aber man platziert die nächste Haut mit der Haarseite nach unten oben auf und verfährt in gleicher Weise, bis sich ein ganzer Stapel gebildet hat. Als Unterlage dafür eignet sich eine Holzpalette oder Ähnliches.

Auf diese Weise können die Häute viele Monate gelagert werden. Will man auf Nummer sicher gehen, lohnt es sich, nach einiger Zeit noch einmal nachzusalzen, wenn bereits ein Großteil der Flüssigkeiten abgelaufen ist.

ÜBRIGENS! Kahlauer

Kahle Stellen am fertigen Pelz, die durch schlechte Behandlung oder Konservierung der Rohware entstanden sind, heißen in der Kürschnersprache „Kahlauer". Kein Witz!

Beim Salzen von feinen Pelzen, wie Fuchs und Marder, sollte man mehr Vorsicht walten lassen und die Bälger vorher grob entfleischt haben (siehe S. 101 f.) Vor allem Kopf und Pfoten müssen mit ausreichend Salz versehen werden. Nachteile des Salzens sind, dass es bei ungenügender Salzung zu Schäden an der Haut kommen kann und dass vor dem Gerben alles Salz mit viel Wasser wieder herausgespült werden muss. Ungenügend entsalzte Häute haben nach dem Gerben oft die Tendenz, Wasser aus der Atmosphäre zu ziehen, und fühlen sich dann leicht klamm an.

Das Einfrieren

Die einfachste Art der Konservierung ist jedoch das Einfrieren. Bei kleinen Pelzen ist der Platzbedarf gering. Größere Mengen an Fellen bedürfen natürlich entsprechend mehr Platz. Das Einfrieren ist einfach und sicher und bedarf kaum weiterer Erklärung. Die Häute oder Pelze werden eng zusammengerollt oder gefaltet und in einen Plastiksack gesteckt. Aus diesem wird alle Luft herausgepresst, dann verknotet man ihn und steckt ihn in die Gefriertruhe. Auf diese Weise sind die Häute nahezu für ewig konserviert.

Das Trocknen

Schlussendlich gibt es noch die Möglichkeit des Trocknens, um der Haut die Feuchtigkeit zu entziehen und sie dadurch vor dem Verfaulen zu schützen. Dazu müssen die Häute aber vorher weitgehend von Fleisch und Fettresten befreit sein. Große Häute werden dann flach ausgebreitet und mit der gesamten Fleischseite der Luft ausgesetzt. Keine Stellen dürfen überlappen, damit bei guter Belüftung eine rasche und komplette Trocknung erfolgen kann. Langanhaltendes und direktes Sonnenlicht mit hohen Temperaturen ist bei der Trocknung allerdings zu vermeiden, da es die Häute schädigen kann. Zum Trocknen können die Häute, flach ausgelegt, auf eine hölzerne Unterlage genagelt werden, wie z. B. eine Holzwand, ein Brett oder einen Lattenrost. Die Fleischseite deutet nach außen und

die Nägel sollten lang genug sein, damit ein gewisser Abstand zwischen Unterlage und Fellseite bestehen bleibt, um eine ausreichende Luftzirkulation zu gewährleisten. Nägel von 40 Millimetern Länge sind gute Allrounder für kleine und mittelgroße Häute, und um ein gleichmäßiges, ordentliches Spannen zu gewährleisten, sollte man mindestens 40–50 Nägel für eine Hirschhaut verwenden. Die Felle können zum Trocknen auch einfach über eine straff gespannte Leine gehängt werden. Dabei deutet die Fleischseite ebenfalls nach oben und die Leine muss entlang des Rückgrads verlaufen. Hierbei gilt es, sich zusammenrollende Stellen gelegentlich glatt zu streichen, um ein rasches Trock-

Verschiedene Methoden, eine Haut zum Trocknen aufzuspannen

nen zu gewährleisten oder diese Stellen entlang der Ränder der Haut mit kleinen, an beiden Seiten angespitzten Stöcken, so genannten „Speilern", offen zu halten. Allerdings werden solche Häute natürlich nie so falten- und beulenfrei auftrocknen wie genagelte. Möchte man eine Haut später als Fell gerben, so sollten diese am besten gleich in einen Rahmen gespannt und dort getrocknet werden. Diese Methode wird weiter unten in den Kapiteln „Felle gerben", S. 83 ff., und „Einspannen in den Rahmen", S. 85 ff., genauer beschrieben. Felle oder vor allem Pelze, welche nach der Schlauchmethode, also rund, abgezogen wurden, werden auf eine gesonderte Weise getrocknet. Dafür bedarf es so genannter „Spanner". Dies sind langgestreckte keilförmige Konstruktionen aus Holz, welche von der Unterseite in den Pelzschlauch eingeführt werden, um diesen zu strecken und offen zu halten. Dabei zeigt die Fleischseite nach außen. Besondere Beachtung bedürfen Schwanz und Pfoten, damit sie sich nicht zusammenrollen und faulen. Eventuell können hier Wäscheklammern zum Aufhalten verwendet werden oder man belegt die Fleischseite mit Papierstreifen, welche fest auf die Fleischseite aufgedrückt werden. Pelzspanner

können entweder einfach aus einem Brett gefertigt werden oder aber aus Holzlatten konstruiert sein. Ihre Größe muss der zu trocknenden Haut entsprechen. Man kann aber den zu trocknenden Pelzschlauch auch mit trockenem Gras, Zeitungspapier oder Lumpen ausstopfen und dann einfach aufhängen. Dabei muss man aber besonders Acht geben, dass sich keine Falten und überlappende Stellen bilden.

Der Vorteil des Trocknens liegt darin, dass es keine Kosten verursacht. Getrocknete Häute sind ebenfalls sehr lange lagerbar, allerdings besteht die Gefahr von Insektenbefall (siehe S. 84).

Besonders für sehr große und vor allem für dicke Häute eignet sie sich nicht, da diese vor dem Gerben kaum wieder eingeweicht werden können, außer man schabt sie vorher dünn (siehe beim „Gerben von Fellen", S. 89 ff.). Bevor man die Häute der Trocknung überlässt, sollten sie zumindest grob entfleischt sein. Das bedeutet, dass große anhaftende Fleisch- und Fettstücke entfernt werden müssen, damit die Haut darunter zügig trocknen kann. Diese Arbeit kann nur mit den Fingern oder unter Zuhilfenahme eines Messers durchgeführt werden

DAS GERBEN VON LEDER (GRUNDKAPITEL)

Dieses Kapitel gilt als Einleitung in die Fett- oder Hirngerbung, da diese Methode größtenteils für die Herstellung von Leder bekannt ist. Daher sollte dieser Teil zuerst durchgelesen werden, da die beiden folgenden Kapitel auf den hier vermittelten Kenntnissen aufbauen und Gemeinsamkeiten nicht wiederholt werden.

DAS WASCHEN

Eine frische Haut bedarf vor der Lederherstellung keiner gesonderten Waschung. Sie kann direkt dem folgenden Äscher zugeführt werden. Gesalzene Häute hingegen müssen erst vom Salz befreit werden.

Überschüssige Mengen lassen sich zuerst einmal abschütteln oder mit einem Schrubber von der Oberfläche entfernen. Dazu wird die Haut flach ausgebreitet und die Fleischseite wie ein Teppich abgebürstet. Dabei ist Vorsicht geboten, da Salz in größeren Mengen eine herbizide Wirkung besitzt. Arbeitet man also im Garten, muss man sich eine entsprechende Stelle für das Bürsten aussuchen oder eine Plane unterlegen. Danach erfolgt ein Waschen der Haut, um das Restsalz zu lösen. Dazu arbeitet man am besten unter fließendem Wasser in einem Fluss, Bach oder Brunnen. Falls man die Haut hingegen in einem

Gesalzene Häute müssen vor der Weiterverarbeitung vom Salz befreit werden.

Behälter spült, muss das Wasser ein- oder zweimal gewechselt werden. Manche gesalzenen Häute sind etwas eingetrocknet und müssen daher entsprechend länger im Wasser verbleiben, bis sie wieder vollständig flexibel sind.

DER ÄSCHER

Der Äscher ist eine stark alkalische Lauge, die zur Vorbehandlung der Haut dient. Bei diesem Vorgang wird eine Lockerung der Haare und der Oberhaut bewirkt. Die Haut quillt auf und lässt sich leichter schaben. Außerdem führt der Äscher zu einem so genannten Hautaufschluss. Das bedeutet, dass bestimmte Fett- und Eiweißstoffe in der Haut, welche die Gerbung behindern, ausgespült werden, um später ein verbessertes Eindringen der Fette in das dichte Hautgefüge zu gewährleisten.

Arbeitet man ohne Äscher, was ebenfalls möglich ist, wird man die Haut wegen des fehlenden Hautaufschlusses öfter in die Gerbesubstanz einlegen müssen (siehe S. 53 ff.), um vergleichbare Resultate zu erzielen.

Eine einfache und ursprüngliche Variante des Äschers ist die so genannte „Schwitze", in der die Haut einige Tage in Wasser vorgequollen und dann im feuchten Milieu gelagert wird. Dabei handelt es sich um ein kontrolliertes Anfaulen. Durch die Arbeit von Bakterien werden alsbald die Haare gelöst, was den richtigen Zeitpunkt für das folgende Schaben darstellt. Allerdings geht dies auch mit einer intensiveren Geruchsentwicklung einher, welche von manchen Leuten als unangenehm empfunden wird, aber keinesfalls den Geruch des fertigen Leders beeinflusst. Liegt die Haut jedoch zu lange und fängt richtig an zu stinken, sollte man schauen, dass man sie wieder loswird, denn dann ist sie wirklich am Verfaulen und nicht mehr zu gebrauchen. Ist es warm, vollzieht sich der Vorgang des Schwitzens schneller; sind die Temperaturen dagegen um den Gefrierpunkt, findet die Bakterienentwicklung nur sehr verzögert oder überhaupt nicht statt. Man sollte daher ein- bis zweimal am Tag nach der Haut sehen und die folgende Probe machen: Gehen die Haare bei leichtem Ziehen büschelweise aus, ist sie auf jeden Fall reif für das Enthaaren. Diese Methode

Einreiben der Fleischseite von Hirschhäuten mit dem Aschebrei.

bewirkt aber nur einen unzureichenden Hautaufschluss.

Der Äscher wurde ursprünglich mit Hilfe von Holzasche hergestellt, wie der Name bereits andeutet. Wer Zugang zu reichlich Holzasche hat, kann diese verwenden. Die Asche von Harthölzern, wie Buche und Birke, ergibt höhere pH-Werte und ist deswegen zu bevorzugen. Der pH-Wert 13 gilt als ideal, um alle Vorteile des Äschers, besonders den Hautaufschluss, zu gewährleisten. Schwächere Lösungen entfernen die hinderlichen Eiweißsubstanzen nur teilweise.

ÜBRIGENS! pH-Wert

Der pH-Wert bestimmt den Säure-Basen-Charakter von Flüssigkeiten und schwankt zwischen 0 und 14 wobei null sehr sauer, 7 neutral und 14 sehr alkalisch ist.

Wer häufiger gerbt und seine Prozesse verfeinern möchte, dem sei der Kauf von pH-Messstreifen oder einem pH-Messgerät angeraten, um den Wert von Laugen und Säuren zu ermitteln.

Eine große Plastiktonne wird mit Aschelauge gefüllt. Hierin werden die Häute eingelegt.

Die Asche sollte frei von Kohlestücken und anderen Verunreinigungen sein. Dazu kann sie gesiebt werden. Eine Möglichkeit ist es, die Asche mit Wasser zu einem flüssigen Brei anzurühren, mit welchem die Fleischseite der Haut dick bestrichen wird. Danach faltet man diese zusammen, wobei die Flüssigkeit im Inneren nicht ablaufen, sondern bewahrt werden sollte. Dazu legt man die Haut in einen Eimer oder eine Wanne, um die Lauge einwirken zu lassen. Dieser Vorgang ist in der Fachsprache auch als „Schwöde" bekannt.

Eine andere Möglichkeit besteht darin, die Asche zusammen mit reichlich Wasser in einer Wanne oder Tonne anzurühren, um dann die Häute direkt in dieser Lösung zu versenken. Hierzu sind größere Mengen Asche notwendig, besonders um den entsprechenden pH-Wert zu erreichen. Ist der Äscher beendet, sollte die Haut von Asche- und Kohleresten gereinigt werden, da diese sonst die Haut beim Schaben dauerhaft beflecken können. Dazu bedarf es gelegentlich großer Mengen von Wasser.

Eine ideale Alternative zu Asche ist die Verwendung von gelöschtem Kalk (Kaliumhydroxid). Kalk ist in Pulverform günstig in Baumärkten erhältlich und seine Verwendung ist ebenfalls sehr einfach. Kalk ist ungiftig, kann aber beim Einatmen zu Reizungen führen. Für einen so genannten Kalkäscher braucht man ebenfalls ein Behältnis von etwa 40 Litern Fassungsvermögen, welches man mit Wasser füllt und wozu etwa ein Kilo Kalk hinzugegeben und verrührt wird. Dies ergibt ebenfalls eine stark alkalische Lösung bzw. Lauge. Zu viel Kalk kann man nicht verwenden, da die Lösung irgendwann gesättigt ist und zwar genau an dem für den Hautaufschluss richtigen Punkt. Nun wird die Haut in den Behälter gegeben. Gelegentlich muss sie mit Steinen oder Ähnlichem beschwert werden, da sie sonst oben schwimmt und nicht alle Stellen vom Äscher erreicht werden. Dies ist besonders bei Winterfellen von Reh und Hirsch der Fall, da ihre Haare luftgefüllt sind und sie daher oben schwimmen. Die Häute verbleiben mehrere Tage im Äscher, bis sich die Haare zu lösen beginnen. Dies kann je nach Temperaturen und Größe der Haut vier oder fünf Tage, aber auch länger dauern. Denn, wie bereits erwähnt, beschleunigen höhere Temperaturen alle Prozesse rund um die Behandlung von Häuten, wohingegen ein kühleres Klima für Verlangsamung sorgt. Ein- bis zweimal am Tag sollte man die Häute mit einem Stock bewegen und den Äscher umrühren, um eine gleichmäßige Benetzung der Häute zu gewährleisten und den Kalk oder die Asche neu aufzurühren.

Stark alkalische Lösungen sind reizend und trocknen die Haut aus. Das Tragen von Gummihandschuhen ist daher ratsam. Auch sollte der Behälter einen Deckel tragen, um Unfälle mit Kindern oder Haustieren zu verhindern. Bei Kontakt mit den Augen, muss man diese mit reichlich Wasser ausspülen.

Eine im Kalkäscher eingelegte Haut wird auf Haarausfall geprüft.

Nach einigen Tagen im Äscher überprüft man den Prozess, indem man an den Haaren zieht. Gehen diese ohne Weiteres aus, ist der Vorgang abgeschlossen und die Haut kann dem Schaben zugeführt werden. Nun ist sie aufgequollen, von gummiartiger Konsistenz und fühlt sich etwas schleimig oder seifig an. Diese Veränderung beruht auf der Wirkung der Lauge. Sowohl Kalk als auch Aschebrühen können mehrere Male verwendet werden, ohne dass ihre Wirkung nachlässt.

DAS SCHABEN (ENTHAAREN UND ENTFLEISCHEN) DER ROHWARE

Der folgende Arbeitsschritt des Schabens dient der Entfernung der Haare sowie der sich darunter befindlichen Epidermis und Papillarschicht/Narbenschicht. Auf der anderen Seite der Haut, der Fleischseite, werden Fett- und Fleischreste entfernt sowie die darunterliegende Unterhaut. All diese Arbeiten werden im nassen Zustand auf dem Gerberbaum durchgeführt. Diese Methode ist deswegen als Nass-Schaben (engl. *wet scraping*) bekannt. Besonders bei sehr großen Häuten, wie Elch oder Bison, kann auch die so genannte Trockenschab-Methode (engl. *dry scraping*) angewandt werden, welche hier nicht genauer beschrieben wird, aber der Bearbeitung von Fellen entspricht und weiter unten behandelt wird.

DER GERBERBAUM, SCHERBAUM ODER GERBERBOCK

Hierfür verwendet man einen vollständigen Baumstamm von ca. 20 cm Durchmesser, dessen Länge etwa der Augenhöhe des Gerbers entspricht. Größere Durchmesser erhöhen die Kontaktfläche zwischen Haut und Schaber und ermöglichen daher ein zügigeres Arbeiten, wobei sich allerdings der notwendige Kraftaufwand erhöht, was sich besonders bei großen und dicken Häuten auf Dauer als sehr anstrengend erweisen kann. Im Umkehrschluss gilt das gleiche für entsprechend dünnere Querschnitte.

Der Baumstamm sollte vollständig entrindet sein und zumindest im zentralen Arbeitsbereich, das heißt auf der dem Gerber zugewandten Seite, eine glatte und fehlerfreie Oberfläche aufweisen. Unebenheiten, Trocknungsrisse oder Astlöcher sind zu vermeiden, da sonst besonders dünnere Stellen der zu schabenden Häute während des Arbeitens beschädigt werden können. Grundsätzlich kann für den Gerbebock jede Holzart verwendet werden. Weichere Holzarten geben beim Schaben etwas nach, wodurch sich die Gefahr redu-

Zwei verschiedene Gerbeböcke zum Schaben der Häute

Ein aufrechtstehender Gerberbaum zum Schaben der Häute

Diese historische Fotographie zeigt einen Gerber am klassischen Gerberbock beim Schaben eines Schaffells. Die Haut wird durch den Druck des Oberkörpers in Position gehalten. Der Schaber scheint ein ausgedientes Sensenblatt zu sein. Russland, 1940er-Jahre. Aus der Sammlung des Autors.

ziert, Löcher in die Haut zu schaben. Linde ist eine sehr gute Wahl. Man sollte immer darauf achten, dass das Holz gut gelagert ist und keine Harze oder andere Säfte mehr austreten. Besonders bei Baumarten, deren Rinde Gerbsäuren oder Farbstoffe enthalten, wie z. B. Eiche, Fichte, Weide und Erle, ist eine ordentliche Entfernung der Rinde und des Bastes notwendig, um beim Kontakt mit den Häuten eine dauerhafte Verfärbung zu vermeiden.

Der Gerberbock wird zum Arbeiten schräg an eine Hauswand, ein Scheunentor oder eine ähnlich stabile, vertikale Begrenzung gelehnt. Auch diese muss zumindest an der Kontaktstelle sauber und frei von Rückständen sein, welche die zu schabende Rohware beschädigen oder verschmutzen könnten. Um dem Bock einen sichereren Stand zu verleihen, empfiehlt es sich, ihn an den Kontaktstellen zu Wand und Boden in einem entsprechenden Winkel abzuschrägen.

Alternativ zum Anwinkeln des Bocks kann dieser auch mittig der Länge nach gespalten oder durchsägt werden. Dies ergibt idealerweise zwei Böcke und reduziert gleichzeitig das Gewicht, was von Vorteil ist, falls man plant, den Bock öfters zu transportieren.

Der klassische Gerberbaum in Gerbereien ist hingegen ein in Hüfthöhe montierter Bock. Eine solche Konstruktion erfordert eine andere Arbeitshaltung. Alternativ zu natürlich gewachsenen vollständigen Baumstämmen kann natürlich auch Holz gekauft und entsprechend präpariert werden. Auch die Verwendung von stabilen Plastikrohren mit entsprechendem Durchmesser ist eine Möglichkeit.

Die Haut wird nun mit der Fleischseite nach oben über den Bock gelegt, wobei sie zwischen diesem und der Wand eingeklemmt wird. Dies verhindert ein Abrutschen bei der Arbeit.

Der Schaber

Ein unschlagbares Werkzeug für das Schaben von Fleisch- und Haarseite ist ein Zieh- oder Schäleisen, wie es zur Holzbearbeitung verwendet wird. Diese sind im Fachhandel oder auf dem Flohmarkt einfach zu finden.

Die Klinge des Schabers darf aber nicht wirklich scharf sein, denn das Enthaaren und Entfleischen ist eben ein Schaben und kein Schneiden. Andererseits benötigt die Klinge ausreichend Biss, um die ungewünschten Schichten zu entfernen, ohne aber die darunter befindliche Lederhaut zu verletzen. Man sollte in der Lage sein, mit dem Finger kräftig über die Klinge zu fahren, ohne sich dabei zu verletzen. Bei den Indianern kamen hierzu vorwiegend Knochenwerkzeuge zum Einsatz, vornehmlich große Rippenknochen oder besonders präparierte Mittelfußknochen.

Schaben mit einer Bisonrippe. Auch derart ursprüngliches Werkzeug funktioniert wunderbar.

Das Schaben der Haarseite

Das Schaben der Haarseite beinhaltet neben dem Entfernen der Haare auch das Abschaben der Epidermis sowie der Narbenschicht, welche unmittelbar darunter liegt. Das Abschaben der Narbenschicht ergibt die typische samtige und griffige Oberfläche des Hirnleders.

Verschiedene Schaber für das Gerben. Links drei Ziehmesser, rechts zwei Schaber für das Weichmachen, darunter ein Schmirgelblock zum Schleifen und Aufrauen der Oberfläche und dazwischen ein Schaber mit schmaler Klinge für das Bearbeiten von Fellen.

ÜBRIGENS! Narbenleder

Man kann die Narben auch intakt belassen. Dies ergibt dann ein Leder mit glatter, wachstuchartiger Oberfläche, welches weniger dehnbar ist. Die Oberfläche kann nach dem Gerben mit Wachsfetten behandelt werden, was ihre wasserabweisenden Eigenschaften erhöht. Die Weiterbearbeitung zu Leder ist nach dem Schaben dieselbe, außer dass die Narbenseite mit besonderer Vorsicht zu behandeln ist und beim Vorgang des Weichmachens nicht mit Werkzeug bearbeitet werden darf, da man sie sonst beschädigt. Ein Räuchern erfolgt bei einem solchen Narbenleder nur von der Fleischseite.

Zu kurz geweichte oder geäscherte Häute lassen sich oft nur schwer schaben und sollten nochmals nachgeweicht werden. Zu lange eingeweichte Häute hingegen haben dagegen die Tendenz, an Löchern, Schnittstellen und dünnen Bereichen während des Schabens eher einzureißen, da das Fasergeflecht bereits geschwächt ist. Außerdem können Häute nach dem Äscher so glitschig sein, dass sie immer wieder vom Bock rutschen. Sollte das der Fall sein, müssen sie zuerst in frischem Wasser unter Zugabe von etwas Essig gespült werden (siehe „Das Neutralisieren", S. 51 ff.).

Beim Enthaaren wird möglichst mit dem natürlichen Haarverlauf gearbeitet. Ein Schaben „gegen den Strich" kann zur Folge haben, dass die Haare nicht ausgeschabt, sondern lediglich abgeschnitten werden. Dabei verbleiben Haarwurzeln in der Haut, was beim fertigen weißen Leder oft als schwärzliche Verfärbung sichtbar wird. Deswegen wird die Haut zum Scha-

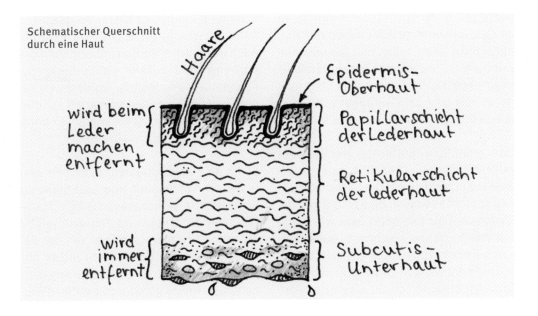

Schematischer Querschnitt durch eine Haut

Haare

Epidermis-Oberhaut

wird beim Leder machen entfernt

Papillarschicht der Lederhaut

Retikularschicht der Lederhaut

wird immer entfernt

Subcutis-Unterhaut

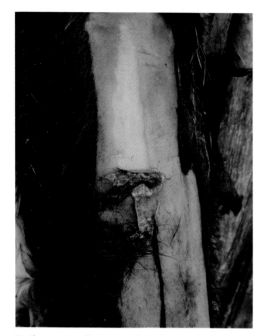

Entfernen von Haaren und Narbenschicht. Die beigefarbene Schicht ist die Lederhaut.

zende Stellen. Dies mag bei weißem Leder gerade noch verzeihlich sein, sollte die Haut am Ende aber geräuchert werden, so wirken sich diese Stellen äußerst nachteilig aus, da sie die Farbe des Rauches kaum annehmen und dadurch immer als unansehnliche, helle Flecken oder Streifen sichtbar bleiben.

Daher ist es für das Schaben wichtig, die Narbenschicht als solche erst einmal erkennen zu können. Auch dies erfordert etwas Übung, da sie sich farblich kaum von der darunterliegenden Retikularschicht unterscheidet. Bei Häuten, die aus dem Äscher kommen, hebt sie sich farblich besser gegen den bernsteinfarbenen oder beigen Hintergrund der Lederhaut ab. Ihre Oberfläche ist glatter und schimmernder als die Lederhaut, auch erscheint sie im vollgesogenen Zustand etwas schwammiger.

Bei einer frischen und ungeäscherten Rehhaut hingegen ist sie im Vergleich zur Retikularschicht oft leicht rosa gefärbt. Auch bei gleicher Vorbehandlung kann die Narbenschicht mal klar definiert und millimeterstark erscheinen, wohingegen sie bei einer anderen Haut wiederum auf den Fasern darunter festsitzt wie eine dünne Briefmarke.

ben zuerst mit dem Nacken zwischen Bock und Auflage fixiert und vom Nacken abwärts geschabt. Wichtig beim Enthaaren ist das vollständige Abschaben der Narbenschicht. Man sollte sich ausreichend Zeit nehmen, um sicherzugehen, dass dies geschehen ist. Hierfür ist einige Erfahrung notwendig und dem Anfänger wird geraten, lieber zu viel als zu wenig zu schaben.

Das gründliche Entfernen der Narbenschicht ist deshalb so wichtig, da diese wie eine Schutzschicht auf der Lederhaut ruht und später das vollständige Eindringen der Gerbesubstanz behindert, was wiederum ein Weichmachen erschwert. Außerdem erscheinen unvollständig geschabte Stellen auf dem fertigen Leder gegenüber der lockeren Retikularschicht als glatte, glän-

Es ist also am sichersten, auch hier systematisch vorzugehen und jede Stelle so lange kräftig zu schaben, bis kein Material mehr abzutragen ist. Mit dem relativ stumpfen Schaber kann man von der darunterliegenden Lederschicht nichts abtragen, man braucht also keine Angst zu haben, zu tief zu gehen und auf diese Weise Löcher in die Haut zu schaben. Außerdem sorgt ein reichliches Schaben dafür, Blutreste und andere wässrige Verunreinigungen aus der Haut herauszuquetschen. Man setzt das Werkzeug also am Nacken an und schabt mit langen, kräftigen und gleichmäßigen Zügen. Gearbeitet wird dabei mit einer natürlichen Bewegung von oben nach unten. Es empfiehlt sich, beim Schaben systematisch einen Schabezug neben den anderen zu setzen und diese leicht überlappen zu lassen. Dabei sollte man immer gerade und aufrecht stehen, da eine verkrampfte oder gebückte Haltung schnell zu Ermüdung führt.

Ist die gesamte auf dem Bock aufliegende Fläche frei geschabt, wird die Haut etwas umpositioniert und die angrenzenden Stellen werden von Gewebe befreit. So überarbeitet man die gesamte Haut.

Besondere Vorsicht ist an den Flanken, an Löchern und Schnittstellen geboten. Hier ist die Haut besonders dünn oder geschwächt und bei allzu kräftigem Druck können Löcher entstehen.

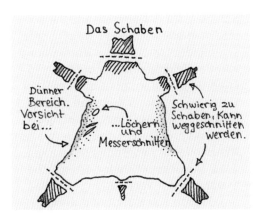

Diagramm einer Haut: Was es beim Schaben zu beachten gibt.

Ab und zu wird man die Klinge des Schabers von Geweberesten befreien müssen, da diese sonst lediglich über die Haut rutscht und nicht den nötigen „Biss" hat. Die Haut sollte immer glatt und straff über dem Bock liegen, ohne Falten zu werfen. Auch darf sie während des Schabens nicht zu arg austrocknen, da die Narbenschicht sonst zusammenschrumpft, wodurch sie kaum sichtbar wird und fast unablöslich mit der Retikularschicht verschmilzt.

Die Narbenschicht ist am Ende von Nacken und Beinen besonders hartnäckig mit der Lederhaut verbunden. Der dortige Arbeitsaufwand steht in keinem Verhältnis zu der zu gewinnenden Fläche und diese Stellen werden oftmals einfach abgeschnitten. Das Gleiche gilt für eventuell noch anhaftende Gesäuge, Hodensäcke und Schwänze. Ist man jedoch z. B. auf authentische Kleiderreproduktionen der nordamerikanischen Indianer bedacht, so wird man auch die Extremitäten beibehalten, welche gelegentlich dekorative und funktionale Bedeutung übernahmen. Eventuell wird man sogar Haarreste am äußersten Ende der Beine beibehalten wollen, wie dies an originalen Museumsstücken sichtbar ist.

Da das Schaben mit einiger körperlicher Arbeit verbunden ist, lohnt es sich, gelegentlich eine kleine Pause einzulegen, um sich etwas zu strecken, ansonsten ist ein Muskelkater vorprogrammiert.

Oft wirken während des Enthaarens die auf der Fleischseite anhaftenden größeren Fleisch- und Fettreste störend für eine saubere Entfernung der Narbenschicht. Ist das der Fall, dreht man die Haut um, widmet sich erst einem groben Entfleischen und kehrt danach zum Schaben der Narbenschicht zurück. Bis die Haut fertig geschabt ist, wird man auf diese Weise einige Male hin und her wechseln, denn beginnt man hingegen mit der Fleischseite, wirken oft die Haare, welche nun zwischen Bock und Haut liegen wie ein Kissen, was das Säubern dieser Seite ebenfalls erschwert.

Das Schaben der Fleischseite

Beim Entfleischen werden alle Fleisch- und Fettreste sowie die Unterhaut entfernt.

Dazu fixiert man die Haut ebenfalls mit dem Nacken zwischen Gerbebock und Wand und beginnt mit dem Schaben wie oben beschrieben. Dabei entfernt man erst einmal alle groben Fett- und Fleischreste und nimmt sich dann die ordentliche Entfernung der Unterhaut vor. Auch hier geht man systematisch vor und setzt Strich neben Strich. Eine Haut ist dann fertig entfleischt, wenn ähnlich dem Bearbeiten der Haarseite trotz kräftigen Schabens auf der gleichen Stelle kein Material mehr abtragbar ist.

Außerdem werden bei genauem Hinsehen sich verästelnde, leicht vertiefte Linien auf der Hautoberfläche sichtbar. Diese rühren von Blutadern her und sind ein weiterer Indikator dafür, dass die Haut an dieser Stelle ausreichend geschabt ist.

Ein Anfänger braucht für das Schaben einer Rehhaut eventuell zwei Stunden. Mit etwas Erfahrung reduziert sich dies jedoch eher auf eine halbe Stunde. Natürlich ist die Arbeitszeit abhängig von der Größe der Haut. So benötigte man lediglich für das Entfleischen einer Bisonhaut zuweilen mindestens fünf Stunden. Ein ordentliches Entfernen der Unterhaut ist zwar wünschenswert, aber nicht ganz so wichtig, wie das Abschaben der Narbenschicht, da sich noch anhaftende Reste später am fertigen Leder lediglich als fusselige Anhaftungen bemerkbar machen und sich abschmirgeln lassen.

Die geäscherte und fertig geschabte Haut, die bereit für die Gerbung ist, wird in der Gerbersprache als „Blöße" bezeichnet.

ÜBRIGENS! Verwertung der Schabereste

Alle Schabereste wurden früher verwertet. Die anfallenden Haare wurden bis ins 20. Jahrhundert hinein gesammelt, gereinigt und als Dämm- oder Füllstoffe für Polsterungen und Sättel sowie als Mörtelzusatz oder zur Filzherstellung verwendet. Einige Gerbereien belieferten sogar die Zeppelinwerke am Bodensee mit leichten und hohlen Reh- und Hirschhaaren für die Innenisolierungen der Luftschiffe. Die Schabereste der Fleischseite verwertete man ebenfalls. Das so genannte „Leimleder" diente zur Herstellung von Hautleim, denn durch das Einkochen von Hautabfällen entsteht ein vielseitig nutzbarer Klebstoff. Alle anfallenden Schabeabfälle können auch kompostiert werden, da sie wertvolle Nährstoffe für den Boden beinhalten, wie z. B. Stickstoff. Viele Gartenbücher erwähnen die Verwendung von Haaren, Federn sowie Blut und Knochenmehl als Kompostzusatz.

Rohhaut

Eine vollständig geschabte Haut kann in diesem Stadium auch getrocknet werden, wodurch man so genannte „Rohhaut" erhält. Ein durchaus brauchbares Produkt.

Rohhaut ist vielseitig verwendbar und kann zur Herstellung der verschiedensten Gegenstände benutzt werden, so z. B. für Mokassinsohlen, falls sie dick genug ist, aber auch für Behälter aller Art oder für Trommelbespannungen sowie für Riemen und Seile. Derart luftgetrocknete Häute lassen sich nahezu ewig aufbewahren, um bei Gelegenheit wieder eingeweicht und dann zu Leder verarbeitet zu werden. Wie oben beschrieben, sollten sie dazu an einem gut gelüfteten und trockenen Ort aufgespannt werden.

Das Entfleischen. Oberhalb des Schabers kommt die saubere Lederhaut zum Vorschein.

ÜBRIGENS! Verwendung von Rohhaut

Die Prärie-Indianer fertigten z. B. ihre Schilde aus geschrumpfter und verdichteter Bisonnacken-Rohhaut. Diese waren dafür bekannt, sogar Musketenkugeln abzulenken. In Tischlereien verwendete man feuchte Rohhautriemen, um geleimte Holzteile zusammenzuhalten, da sich die Riemen beim Trocknen zusammenziehen. Unter verschiedenen Umständen wurde Rohhaut auch als Ersatz für Fensterglas und zum Bespannen von Lampenschirmen genutzt. Pergament besteht ebenfalls aus ungegerbter, getrockneter Tierhaut.

DAS NEUTRALISIEREN

Hat man seine Haut einem Äscher unterzogen, so gilt es, nach dem Schaben den Alkaligehalt der Haut zu neutralisieren bzw. den pH-Gehalt in der Haut zu senken. Ein pH-Wert von 6, also ein leicht saurer Zustand, gilt als ideal. Hat man nicht geäschert, ist dieser Vorgang nicht notwendig.

Das Neutralisieren oder Entkalken wurde früher dadurch erreicht, dass die Häute ausreichend lange in ein fließendes Gewässer gehängt wurden. Wem dies nicht möglich ist oder wer Angst hat, dass „ihm die Felle davonschwimmen", der kann auch einen Eimer mit Wasser füllen und durch Zugabe von etwas Essig eine Neutralisierung bewirken. Der saure Essig bewirkt eine beschleunigte Neutralisierung, sodass man oft schon nach einigen Stun-

den weiterarbeiten kann, anstatt tagelang zu warten. Dazu reicht eine Kaffeetasse gewöhnlicher Essig auf 10 Liter Wasser. Die Haut wird nun eingelegt und gelegentlich geschwenkt und etwas gestreckt und ansonsten ruhen gelassen. Die alkalische Haut und das saure Wasser werden nun durch Diffusion ihre pH-Werte ausgleichen. Sichtbar und spürbar wird dies dadurch, dass die Haut vom alkalisch gummiartigen Zustand mit cremefarbener Tönung allmählich in ihren entspannten Urzustand überführt wird. Spätestens innerhalb mehrerer Stunden sollte sie sich komplett schlaff wie ein nasses Handtuch oder Laken anfühlen. Sie ist nun nicht mehr aufgequollen und schleimig-schmierig, sondern wieder dünner, griffig, dehnbarer und von weißer Färbung. Natürlich hängt auch hier die Zeit von Größe und Dicke der Haut ab. Scheint die Haut nach mehreren Stunden im Wasser keine Fortschritte zu machen oder verbleiben steife, gequollene Stellen, vor allem am Rumpf, so wringt man die Haut aus, leert das Wasser aus und befüllt den Eimer erneut. Die Verwendung von zu viel Essig kann allerdings dazu führen, dass die Haut zu sauer wird und dadurch wieder leicht aufquillt. Rein optisch hat man dann das Gefühl, gar nichts bewirkt zu haben.

Häute spült man am besten in einem fließenden Gewässer. Die Bewegung des Wassers fördert das Neutralisieren der Lauge. Aber Achtung, die Häute gut festbinden, damit sie nicht davonschwimmen.

DIE HERSTELLUNG DER GERBESUBSTANZ UND IHR EINARBEITEN

Nachdem das Schaben und Entkalken beendet ist, beginnt die eigentliche Umwandlung der rohen Haut, oder Blöße, zu Leder.

Dazu gilt es zuerst, die dazu notwendige Gerbesubstanz herzustellen.

Wie der Name Fett- oder Hirngerbung bereits besagt, handelt es sich dabei hauptsächlich um Fette tierischen Ursprungs. Verschiedene Völker verwendeten dazu unter anderem das Gehirn von Tieren sowie Fleischbrühe, Butter, Eier, Fischrogen oder Milch. Aber auch die Leber, verschiedene pflanzliche Stoffe sowie viele andere Zutaten tauchen in historischen Rezepten

Die Haut im Inneren

auf. Auch deutsche Gerber verwendeten bis ins frühe 20. Jahrhundert gelegentlich Hirn in ihren Mixturen, wie überlieferte Rezepturen zeigen. Sinn und Zweck ist es jedoch immer, eine wässrige Emulsion herzustellen, die es ermöglicht, die gelösten Fette in das Fasergefüge der Haut zu transportieren. Dort sollen sie diese umhüllen und für eine „Schmierung" dieser sorgen, damit die einzelnen Fasern gegeneinander beweglich sind und ihre Geschmeidigkeit auch im trockenen Zustand erhalten bleibt.

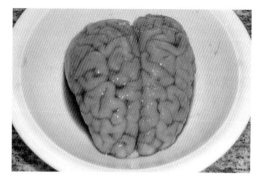

Das Gehirn eines Rothirschs

ÜBRIGENS! Wieso wird Gehirn verwendet?

Warum ausgerechnet Gehirn zum Gerben? Gehirn enthält nicht nur mehr oder weniger viele „Graue Zellen", sondern ist auch sehr fetthaltig. Diese Fette sind es, auf die es der Gerber abgesehen hat, denn die Fette des Gehirns, aber auch die von Eigelb und Milch bilden bereits auf natürliche Weise eine Verbindung (Emulsion) mit Wasser und sind daher besonders geeignet, in das Fasergeflecht der Haut einzudringen. Alle anderen Fette oder Öle erfordern die Zugabe eines Emulgators, um sich mit dem Transportmittel Wasser zu verbinden. Fettlösende Tenside, wie sie auch in Spülmitteln vorkommen, sind bekannte Emulgatoren.

Eine andere Möglichkeit ist es hingegen, Fette direkt und ohne Wasser als Transportmedium in die Häute einzuarbeiten. Dies ist aus der Altsämischgerbung bekannt. Hier kommen große mechanische Walkhämmer zum Einsatz, welche den verwendeten Dorschtran mit großem Kraftaufwand in die Häute hineinklopfen.

Die Verwendung des Gehirns eines getöteten Tiers, um seine eigene Haut zu gerben, erweitert sich im traditionellen indigenen Kontext in Nordamerika noch um eine weitere spirituelle Dimension. Laut den Forschungen von Morgan Baillargeon vom Canadian Museum of Civilisation handelt es sich beim Gerben nicht nur um eine physische Transformation von frischer Haut in Leder, sondern auch um eine spirituelle Umwandlung und Wiederbelebung. Die Seele und die Kraft des Tiers werden mit Hilfe seines Gehirns, dem Sitz der Seele, in das Leder transferiert und somit wieder lebendig.

Wer also Hirn verwenden möchte, kann dies von Schafen oder Schweinen benutzen und beim Metzger bestellen. Das Gehirn von Rindern ist wegen der Gefahr von BSE nicht mehr erhältlich. Außerdem kann man eventuell vom Jäger oder Züchter, welcher einem die Haut überlassen hat, auch den Kopf des Tiers erhalten. Das Extrahieren von Hirn erfolgt generell durch die Schädeldecke. Dazu häutet man den Kopf zuerst und bringt danach mit einer gewöhnlichen feinzahnigen Säge vorsichtig einen Schnitt rund um die gesamte Schädeldecke an. Der Schnitt sollte tief genug sein, um den Knochen zu durchtrennen, nicht aber das Hirn zu beschädigen. Danach lässt sich die Schädeldecke abheben und das Hirn z. B. mit einem Esslöffel herausnehmen. Handelt es sich aber um den Schädel eines Spießers, entweder von Reh oder Hirsch, so kann auch ein zentraler Sägeschnitt zwischen den beiden Geweihansätzen vorgenommen werden, welcher vom Hinterkopf Richtung Nasenbein verläuft. Nun kann man die Geweihenden ergreifen und als Hebel verwenden, um den Schädel der Länge nach aufzubrechen.

ÜBRIGENS! Menge des Gehirns

Es geistert die Vorstellung herum, dass jede Kreatur genug Gehirn habe, um ihre eigene Haut zu gerben. Der amerikanische Gerber Jim Miller, welcher mir das Gerben von Bisonfellen beibrachte, witzelte, dass dies meist zutreffe, außer eben bei Bisons und Teenagern!

Gegerbt werden kann auch mit anderen Fetten außer Hirn. Olivenöl, Eigelb und Seife sind eine gute Alternative.

Hirn ist eine Substanz, die schnell verdirbt, und deshalb sollte es frisch und rasch verarbeitet oder eingefroren werden.

Da Hirn nicht teuer ist, sollte man lieber zu viel als zu wenig parat haben. Etwa 300 Gramm Hirn sollten für eine Rehhaut ausreichen, was mehr ist, als auch der schlaueste Bock auf die Waage bringt. Also, eigenes Hirn für die eigene Haut ist sehr knapp bemessen. Es ist unmöglich, zu viel Hirn einzusetzen, zu wenig hingegen führt zu einer unvollständigen Durchdringung des Fasergeflechts mit Fetten.

Als Alternative zur Verwendung von Hirn benutzen manche Gerber auch Eigelb oder Seife. Eine Mischung aus diesen beiden Substanzen unter Zugabe von etwas Öl hat sich allerdings als besonders wirkungsvoll erwiesen. Sie erzielt den gleichen Effekt wie Hirn und das fertige Leder ist von einem mit Hirn gegerbten nicht zu unterscheiden.

ÜBRIGENS! Mengenangabe für die Rehhaut

Für eine Rehhaut empfiehlt es sich, sechs bis acht Eigelb, vier gehäufte Esslöffel fein geriebene Kernseife sowie drei Esslöffel Sonnenblumen- oder Olivenöl zu verwenden.

Für einen Damhirsch nimmt man etwa das Doppelte an Eigelb und Seife. Ein Zuviel an Eigelb oder Seife ist nicht schädlich. Mit dem Öl sollte man hingegen sparsam sein, da ein Übermaß an Öl dazu führt, dass das fertige Leder weniger luftig wird und sich leicht klamm anfühlt, was an einem zu hohen Fettgehalt liegt.

Vorbereiten und Erwärmen der fetthaltigen Gerbelösung

Die Fette des Eigelbs sind ideal für die Gerbelösung.

aufgelöst haben. Das Wasser darf nicht zu heiß sein, wenn man Eigelb verwendet, damit dieses nicht gekocht wird und flockt.

Nun gibt man etwa ein Liter heißes Wasser hinzu und verrührt alles nochmals zu einer dünnflüssigen sämigen Lösung. Große Häute brauchen entsprechend mehr Gerbesubstanz und dafür auch mehr Wasser. Der fertige Cocktail sollte so heiß sein, dass man seine Hand noch hineinhalten kann, ohne sie zu verbrennen. Eine höhere Temperatur würde die zu gerbende Haut ebenfalls schädigen. Die Mischung kann auch kalt verwendet werden, aber im warmen Zustand sind die Fette dünnflüssiger und werden von der Haut leichter aufgenommen.

Bevor man die Haut nun in die Gerbesubstanz einlegt, muss sie zuerst vollständig ausgewrungen sein.

Das Wringen
Das Wringen ist ein wichtiger Arbeitsschritt und wird während des Gerbens mehrere Male wiederholt.

War die Haut allerdings nicht im Äscher und wurde demnach auch nicht neutralisiert, so ist sie vom Schaben bereits ausreichend von Nässe befreit, wodurch das Wringen entfällt. Eine derartige Haut kann direkt in die Gerbelösung gegeben werden.

Andernfalls muss die Haut vor dem Einlegen erst einmal kräftig ausgewrungen werden, um sie für die Aufnahme der Gerbelösung vorzubereiten, denn eine vollständig nasse Haut kann unmöglich mehr Flüssigkeit aufnehmen.

Egal, ob man Hirn oder die alternative Mischung verwendet, das weitere Vorgehen ist jedenfalls dasselbe.

Die Substanzen werden, zusammen mit zwei Tassen warmem Wasser, in einen ausreichend großen Behälter, wie z. B. einen Eimer oder eine große Schüssel, gegeben und das Ganze mit einem Küchenmixer so lange verrührt, bis sich alle Bröckchen

Für das Wringen bedarf es einer stabilen hölzernen Stange, etwa vom Format eines Besenstiels, welche irgendwo horizontal in Brusthöhe fixiert wird. Dies kann zwischen zwei Bäumen sein, in einem Türrahmen oder zwischen zwei extra dafür in den Boden gerammten Pflöcken. Diese Konstruktion sollte jedenfalls fest genug montiert sein, um einiger Belastung standzuhalten. Über dieser Querstange legt man nun die abgetropfte Haut und wickelt sie wie abgebildet zu einem Ring zusammen. Ein weiterer stabiler Stock dient dazu die Haut nun in eine Richtung zu drehen und kräftig auszuwringen. Das Wringen erfordert einiges an Kraft, denn es gilt, so viel Flüssigkeit wie möglich aus dem Fasergefüge der Haut herauszupressen. Selbst kleine Häute erweisen sich als durchaus stabil und ein Einreißen selbst dünner Häute ist unwahrscheinlich.

Tropft kaum noch Flüssigkeit aus der Haut, lockert man den Hautring, verschiebt

Beim Wringen muss man sich ins Zeug legen, besonders bei großen Häuten.

Hat man keine fixierte Querstange zum Wringen zur Verfügung, geht es auch so.

Das Wringen ist ein wichtiger
Arbeitsschritt und wird hier im
Verlauf dargestellt.

ihn auf der Stange ein wenig in seiner Position, steckt den Stock wieder hindurch und wringt erneut, diesmal vorzugsweise in die entgegengesetzte Richtung. So verfährt man ein bis zwei weitere Male, bis kaum noch Wasser aus der Haut tropft. Dann löst man den inzwischen arg zusammengeschrumpften Hautring wieder auf und dehnt und streckt die Haut in alle Richtungen, bis sie ihre ursprüngliche Form nahezu wieder erreicht hat und alle Falten verschwunden sind.

Nun kann man sie in den Behälter mit der warmen Gebelösung geben.

Das Einarbeiten

Es reicht nicht, die Haut lediglich in die Gerbelösung einzulegen und auf ein Wunder zu hoffen. Eine ausgewrungene Haut ist oftmals noch schrumpelig und steif und vor allem die Ränder sind meist zerknautscht und zusammengerollt. Damit sich die Haut in der Gerbelösung aber wieder vollkommen entspannt und sich mit den Fetten vollsaugen kann, muss man mit den Händen und manchmal auch den Füßen nachhelfen. Dazu wird die Haut im Behälter etwas gedehnt und gestreckt, geknetet und herumgeschwenkt. Große und dicke Häute brauchen hier viel mehr Aufmerksamkeit als dünne. Jedenfalls muss die Haut komplett entspannt und vollgesogen sein wie vor dem Wringen. Sie muss sich den Händen anschmiegen und darf keine verhärteten Stellen mehr aufweisen. Besonders die Ränder bedürfen hier gesonderter Aufmerksamkeit. Bei wirklich großen Häuten, wie denen von ausgewachsenen Rothirschen, hilft es auch, mit den Füßen (barfuß oder mit Gummistiefeln) in den Behälter zu steigen und durch Stampfen und Treten die Gerbelösung einzuarbeiten. All dies kann zwischen 10 Minuten und einer halben Stunde in Anspruch nehmen. Danach holt man die tropfnasse und schlaffe Haut aus dem Behälter heraus und wringt sie ein weiteres Mal aus. Die abtropfende Gerbelösung sammelt man zur Wiederverwertung in einem untergestellten Behälter auf. Das Wringen presst die Gerbesubstanz tiefer in die Fasern der Haut, streckt diese gleichzeitig und führt außerdem überflüssige Flüssigkeit ab.

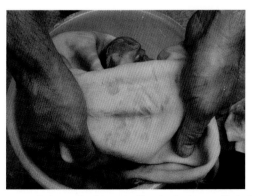

Komprimierte dunklere Stellen in der Haut, die keine Gerbelösung aufgenommen haben, sind auch optisch zu erkennen. Beim Strecken verschwinden sie und saugen sich ebenfalls voll.

Sollte der gewickelte Hautring beim Wringen je auseinanderrutscht, so bedeutet das, dass er vor dem Wickeln zu viel Flüssigkeit enthalten hat. Also wringt man die Haut zuvor ein wenig mehr von Hand aus, bevor man mit dem Wickeln beginnt.

Nach dem Wringen folgt auch wieder das Aufstrecken der Haut, wonach sie erneut in die Gerbelösung gegeben wird, denn ein einmaliges Einweichen reicht in den wenigsten Fällen aus. Falls die Gerbelösung inzwischen erkaltet ist, sollte sie zuvor erneut erwärmt werden.

Für eine Damhirschhaut wiederholt man den Prozess des Einweichens und Auswringens gewöhnlich zwei- bis dreimal. Sehr dicke und große Häute bedürfen entsprechend mehrfacher Wiederholungen.

Allmählich lässt sich dann eine Veränderung im Verhalten der Haut erkennen. Sie lässt sich vollständiger auswringen und danach auch leichter und weiter dehnen. Dies ist ein Zeichen dafür, dass sie vollständig von den Fetten durchdrungen wurde. Außerdem bilden sich während des Wringens häufig kleine Blasen oder Schaum auf der Oberfläche der Haut – gut so, das Fasergeflecht ist luftig, offen und durchlässig.

Für den Anfänger empfiehlt es sich, das Einweichen und Wringen lieber noch ein weiteres Mal vorzunehmen, denn ein wiederholtes Einweichen schadet der Haut nicht, wohl aber eine unvollständige Saturierung mit den Fetten der Gerbelösung, denn das kann zu einem unvollkommenen und stellenweise versteiften Endprodukt führen.

So wie man beim Schaben und auch beim Einweichen auf bestimmte Stellen achten muss, gilt dies auch für das Auswringen. Machen sich z. B. an einer ausgewrungenen und wieder zu ihrer natürlichen Größe gestreckten Haut noch nasse, bläulich-weiße Stellen bemerkbar, was häufig an dicken Stellen, wie dem Ende des Rumpfes oder am Nacken, der Fall ist, dann deutet dies auf ein unvollständiges Wringen dieser Stellen hin. Solche Areale enthalten noch zu viel Feuchtigkeit, um beim erneuten Einlegen weitere Gerbesubstanz aufzunehmen. Man sollte derartige Stellen auf dem Gerbebock mit dem Schaber nachbearbeiten und die verbliebene Flüssigkeit herausschaben. Auch die Ränder der Haut lassen sich übrigens mit dem Schaber ordentlich ausstreichen, sollte dies mit den bloßen Händen nicht ausreichend möglich sein.

DAS ZUNÄHEN DER LÖCHER

Die meisten Häute weisen einige Löcher auf.

Bei Wildtieren sind dies zumeist das Ein- und das Austrittsloch der Gewehrkugel. Weiterhin entstehen Löcher häufig beim Häuten des Tiers und eventuell auch beim Schaben. Die meisten dieser Löcher können jedoch so zugenäht werden, dass sie beim fertigen Leder kaum mehr auffallen. Es liegt im Ermessen des Gerbers, welche Löcher er zunähen möchte und welche nicht. Besonders die Flanken und damit die dünnen Stellen der Haut weisen öfters Löcher auf. Eventuell entscheidet man sich auch, statt zu nähen, den gesamten Randbereich abzuschneiden.

Jedenfalls erfolgt das Nähen der Löcher nach dem letzten Auswringen. Die Haut ist also noch feucht. Bevor das Nähen beginnt, gilt es, die Ränder der Löcher sauber und glatt zuzuschneiden, falls dies nötig sein sollte. Dazu kann man eine gewöhnliche Nagelschere verwenden.

ÜBRIGENS! Anbrachen

Das Flicken von schadhaften Stellen und das Schließen von Löchern im Leder, besonders aber bei Pelzen, wird im historischen Fachjargon als „Anbrachen" bezeichnet und war ein wichtiger Arbeitsschritt, konnte man doch auf diese Weise mit Hilfe von vielen Kniffen und Tricks kostbare Rohware retten.

Löcher, welche von Messerschnitten beim Abziehen herrühren, sind gewöhnlich von länglicher Form, im Gegensatz zu eher rundlichen Löchern, wie z. B. Schusslöchern. Alle Löcher sollten entlang ihres natürlichen Verlaufs, falls sie einen aufweisen, also der Länge nach, zugenäht werden. Dadurch erreicht man, dass sie im fertigen Leder flach liegen und keine Beulen werfen. Den Verlauf erkennt man, indem man die Haut rund um das Loch in alle Richtungen etwas dehnt und streckt. Dadurch wird ersichtlich, in welcher Aus-

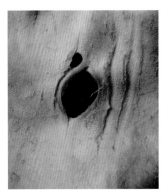 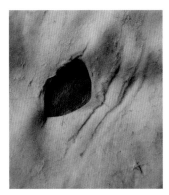 

Dieses Loch ist durch einen Messerschnitt beim Abziehen entstanden. Die beiden anderen Abbildungen zeigen dasselbe Loch. Einmal für das Nähen vorbereitet und dann im zugenähten Zustand.

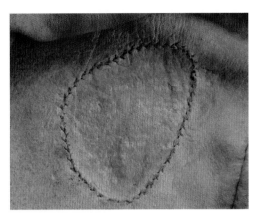

Handtellergroße Ausschusslöcher in Wildtier-
häuten lassen sich nicht zunähen. Nach dem
Gerben kann aber ein Flicken eingepasst werden, wie bei diesem Hemd.

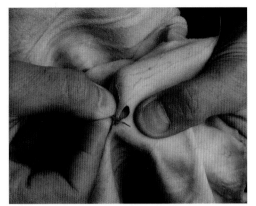

Zunähen der Löcher vor dem Weichmachen

richtung das Loch am flachsten liegt. Hat
man hingegen Löcher, die entstanden
sind, weil dort ein großes Stück Haut fehlt,
ist es kaum möglich, diese erfolgreich
zuzunähen, ohne dass das fertige Leder
später Beulen wirft. Außerdem können solche Nähte beim folgenden Weichmachen
auch wieder aufreißen. Eventuell kann
man nach dem Gerben dort ein separates
Lederstück einsetzen oder aber man muss
das Loch einfach offenlassen.

Für das Nähen ist ein starkes Garn notwendig, da die Nähte sowie die gesamte Haut
beim folgenden Weichmachen intensiv gedehnt und gestreckt werden.

Hierfür eignen sich stabile synthetische
Garne besonders gut. Interessanterweise
ist z. B. Zahnseide von idealer Stärke und
Dicke. Wer viel gerbt und auch Leder nähen
will, dem sei der Kauf von so genannter ge-
wachster „Kunstsehne" angeraten. Dieses
Kunststoffgarn lässt sich zu beliebig fei-
nem Garn aufspleißen und ist sehr stabil.
Statt einen Knoten am Ende des Garns zu
knüpfen, werden diese synthetischen Garne mit einem Feuerzeug lediglich zu einem
kleinen Knubbel angeschmolzen.

Es empfiehlt sich, zum Nähen eine gewöhnliche rundspitzige Nähnadel und keine dreikantige Ledernadel zu verwenden,
da diese eine scharfkantige Spitze hat,
welche kleine Löcher in die Haut schneidet; diese können sich später ausweiten

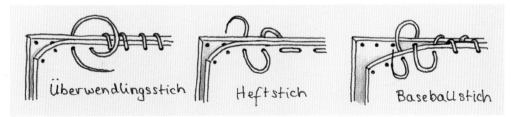

Verschiedene Nähstiche, die in diesem Buch verwendet werden

und am fertigen Leder sehr unansehnlich erscheinen. Man sollte die Nähte von der Fleischseite ausführen, da diese bei Kleidung und anderen Produkten gewöhnlich die Innenseite darstellt und die Nähte der Löcher dadurch weniger auffallen. Je feiner die Naht ausgeführt wird, desto weniger fällt sie beim fertigen Leder ins Gewicht. Der Baseballstich sorgt für die stabilste und ordentlichste Naht. Besonders an dicken Stellen kann die feuchte Haut sehr zäh sein und man wird beim Nähen einen Fingerhut benötigen oder sich den Finger mit einem Stück Leder umwickeln müssen.

Eine andere Möglichkeit ist auch, die Nadel mit einer kleinen gerieften Spitzzange zu führen (siehe auch „Nähen", S. 108).

Alle Nähte sollten sehr stramm durchgeführt werden, um ein Lockern beim Weichmachen zu verhindern. Im Allgemeinen liegen die meisten Nähte direkt nach dem Nähen nicht flach. Dies ist jedoch nicht weiter von Bedeutung, da sie sich im folgenden Schritt des Weichmachens ausstrecken.

Gelegentlich reißen Nähte während des Weichmachens auf. Ist dies der Fall, sollten sie umgehend wieder verschlossen werden.

DAS TROCKNEN UND WEICHMACHEN

Das Weichmachen, auch Stollen genannt, ist der entscheidende Schritt des gesamten Gerbevorgangs. Nun entsteht aus einem nassen Stück Haut ein weiches, luftiges Leder.

Arbeitet man im Freien, bedarf es für diese Arbeit eines warmen, sonnigen Tages, vorzugsweise mit etwas Wind, damit die Haut während der Bearbeitung trocknen kann. Im Zweifelsfall kann auch ein Feuer entfacht werden. Arbeitet man dagegen in geschlossenen Räumen, so braucht man eine zusätzliche Hitzequelle in Form eines Ofens oder einer Heizung, um ein zügiges Trocknen der Haut zu ermöglichen.

Bei diesem Arbeitsschritt wird die Haut getrocknet, aber nicht wie bei der Herstellung von Rohhaut, indem man sie sich selbst überlässt, sondern sie muss während des Trocknens in Bewegung gehalten werden, da sie sonst hart wird.

Für das Weichmachen oder Stollen braucht es Wärme.

Während dieses Trocknens wird die Haut also kontinuierlich von Hand gedehnt, gestreckt und anderweitig manipuliert, damit sie am Ende schön geschmeidig und flexibel ist.

Dieser Vorgang kann je nach Größe der Haut sowie den herrschenden Temperaturen eine oder mehrere Stunden in Anspruch nehmen.

Wie das Schaben ist auch das Weichmachen mit einiger Anstrengung und körperlicher Arbeit verbunden, vor allem bei großen oder dicken Häuten, wie z. B. ausgewachsenen Rothirschen. Ein Anfänger kann durch die kontinuierliche kraftvolle Manipulierung großer Häute sogar Blasen an den Händen entwickeln. Das Tragen von Handschuhen während dieser Arbeit ist eine Option, wenngleich es aber deutlich das Gefühl für den Zustand der Haut ver-

ringert. Eine andere Möglichkeit ist es, sich vor Beginn des Weichmachens von großen Häuten die Fingerknöchel zum Schutz mit Fixierpflaster zu umkleben.

Zu Beginn des Weichmachens wird die Haut, wie vorher beschrieben, ausgewrungen und zu ihrer ursprünglichen Größe gestreckt. Doch auch in diesem Zustand enthält sie noch zu viel Feuchtigkeit, um von einer sofortigen Bearbeitung zu profitieren. Daher breitet man sie erst einmal zu einem gleichmäßigen Antrocknen in der Sonne aus, z. B. über einem Balken, einem Busch oder einer Stuhllehne, oder man hängt sie vor den Ofen oder ein Feuer.

Die hohe Kunst des Weichmachens und Trocknens ist es zu wissen, wie lange man die Haut antrocknen lassen darf, bevor man beginnt, sie zu bearbeiten. Bleibt sie zu lange liegen, wird sie an einigen Stellen

Hat man ein paar Freunde zur Hand, macht die Arbeit mehr Spaß und die Haut wird kräftig gedehnt.

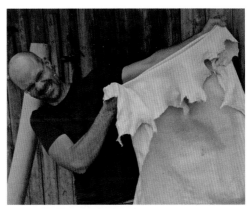

Das Weichmachen kann anstrengend und manchmal auch frustrierend sein. Kontinuierlich wird die Haut in alle Richtungen gedehnt und gestreckt. Ein Besuch des Fitnessstudios erübrigt sich an solchen Tagen.

bereits hart und spröde und ein Weichmachen ist dann nicht mehr möglich. Ist sie hingegen noch zu feucht, wenn man sie bearbeitet, müht man sich umsonst, denn Ziel des Weichmachens ist es, die Fasern der Haut vor dem Verkleben und Versteifen zu bewahren, damit sie auch im trockenen Zustand gegeneinander beweglich bleiben. Ist die Haut zu nass, so rutschen die Fasern lediglich aufeinander hin und her und man erreicht nichts. Ist die Haut zu weit getrocknet, so sind die Fasern bereits fest miteinander verklebt und bleiben steif. Es kommt erschwerend hinzu, dass die Haut ja an verschiedenen Stellen unterschiedlich dick ist und daher auch an manchen Stellen früher trocknet als an anderen. All diese Faktoren gilt es, beim Weichmachen zu beachten. Für Einsteiger empfiehlt es sich daher, lieber etwas früher mit dem Weichmachen zu beginnen als zu spät. Denn sind bestimmte Stellen erst hart und steif aufgetrocknet, hilft nur ein erneutes Einweichen in der Gerbesubstanz. Während des Trocknens sollte man deshalb auch sachte vorgehen

und die Haut keinesfalls zu großer Hitze aussetzen und ihren Zustand regelmäßig, etwa alle 10 Minuten, überprüfen. Dazu lässt man sie durch die Hände gleiten und befühlt sie gleichmäßig. Gibt es Stellen, die sich bereits kartonartig zu verhärten beginnen? Wie vom Schaben bereits bekannt ist, gilt es auch hier, sein Augenmerk auf die dünneren Stellen an den Flanken, den Beinen und Rändern zu lenken. Diese Stellen trocknen am schnellsten und bedürfen daher auch als erstes der Bearbeitung. Dicke und feuchte Stellen, wie Rumpf, Nacken und Hinterteil, können vorerst noch außer Acht gelassen werden.

Das Weichmachen erfolgt durch Dehnen und Strecken der Haut von Hand, wofür es verschiedene Arbeitsweisen gibt.

So ergreift man die Haut z. B. am Kopfende und hält sie mit beiden Händen, rechts und links des Nackens, an den Rändern fest. Nun zieht man sie stramm auseinander, wie einen Expander im Fitness-Studio. Dann wandert man mit den Händen ein

Strecken der Haut über die Knie

Ein Stahlseil, wie es im Baumarkt erhältlich ist, eignet sich besonders für das Stollen. Mit zwei Schlaufen versehen, wird es mit stabilen Haken an einer Wand oder einem Türrahmen befestigt.

Stück weiter nach unten und wiederholt den Vorgang. So streckt man die gesamte Haut der Breite nach, bis man das Schwanzende erreicht hat.

Daraufhin dreht man die Haut um 90 Grad und wiederholt den gesamten Vorgang, wobei sie nun der Länge nach in die entgegengesetzte Richtung gedehnt wird. Dieses kreuzweise Strecken ist sehr wichtig. Zwischendurch sollte die Haut auch diagonal bearbeitet werden.

Zur Abwechslung kann man Häute auch im Sitzen über die Knie dehnen. Dazu legt man sie ausgebreitet über die Oberschenkel, ergreift rechts und links die Enden und streckt sie nach unten, indem man sich nach vorne beugt und gleichzeitig die Knie auseinanderspreizt. Ist außerdem ein sauberer Untergrund vorhanden, kann man sich auch mit beiden Füßen auf ein Ende

der Haut stellen und das andere mit beiden Händen ergreifen, um es nach oben zu ziehen. Hat man hingegen einen oder mehrere Gehilfen zur Hand, so lässt sich die Haut auch wie ein Sprungtuch aufspannen und miteinander in entgegengesetzte Richtungen ziehen. Bei diesem Dehnen wird man erkennen, dass sich die vorher etwa bernsteinfarbene Haut mit relativ glatter Oberfläche an vielen Stellen durch das Strecken soweit dehnt, dass sich das Fasergeflecht öffnet und sie von der beigen in eine weiße Färbung mit luftiger Oberfläche übergeht; die Struktur des fertigen Leders.

Außerdem gibt es einige Werkzeuge, welche zur Hilfe genommen werden können, um das Weichmachen zu erleichtern oder effizienter zu gestallten.

Eines davon ist ein festes Seil, etwa von der Stärke eines Bleistifts und etwa einem Meter Länge. Dieses wird, mit dem einen

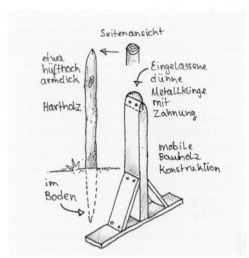

Mit beiden Händen ergreift man die Haut und zieht die dazwischenliegenden 20–30 Zentimeter Haut einige Male kräftig über das Seil.

Der Pfahl zum Stollen oder Weichmachen. Links eine primitive Variante, rechts die mobile Version.

Bei großen Häuten können die Fingerkuppen und Knöchel schmerzen. Dann gilt es, den Griff zu variieren.

Ende in Kopfhöhe und mit dem anderen etwa in Hüfthöhe, also vertikal, z. B. an einem Baumstamm, einem Balken oder einer Wand befestigt. Durch die so entstandene D-förmige Schlaufe wird die Haut gelegt und mit beiden Händen kräftig über das Seil hin- und hergezogen. Auch am Seil wird die Haut in alle Richtungen bearbeitet.

Dieser Vorgang erzeugt zusätzlich Hitze, welche beim Trocknen hilft, außerdem wird

die Haut beim Ziehen über das schmale Seil besonders stark gedehnt, mehr als es von Hand möglich ist. Zusätzlich lockert das Seil die Oberfläche der Haut auf und macht sie geschmeidig. Alternativ zum Seil kann auch, wie abgebildet, ein dünnes Metallkabel verwendet werden.

Weiterhin kann für die Arbeit im Freien ein Holzpfahl mit eingelassener Metallklinge verwendet werden. Der Pfahl sollte stabil sein und daher etwa 10 Zentimeter Durchmesser besitzen. Er wird an einem Ende angespitzt, um ihn vertikal in den Boden zu rammen, sodass sich das andere Ende etwa auf Hüfthöhe befindet. Dieses wird zu einer halbmondförmigen Schneide zugespitzt. Alternativ dazu kann auch eine dünne ebenfalls konkav gebogene Metallklinge eingesetzt werden. Die ganze Konstruktion kann auch aus Bauholz mit einem hölzernen Gestell gefertigt werden. Somit ist der Pfahl transportabel und lässt sich auch in geschlossenen Räumen verwenden. Zum Bearbeiten wird die Haut über die Klinge des Pfahls gelegt, rechts und links mit den Händen ergriffen und kräftig über dieselbe hin- und hergezogen, um die Ränder oder besonders hartnäckige Stellen gezielt zu bearbeiten. Dies hat in etwa denselben Effekt wie das Seil. Ähnlich den Ziehmessern beim Schaben braucht die Klinge nicht messerscharf zu sein, aber sie sollte einen gewissen Biss aufweisen.

Außerdem sollte man sich einen besonderen Schaber zulegen. Dieser wird mit einer Hand geführt und besteht aus einem hölzernen Griff mit eingelassener Metallklinge. Auch bei diesem Werkzeug benötigt man eine dünne halbmondförmige Klinge, welche zusätzlich durch Einfeilen mit feinen Zähnen versehen werden kann. (siehe Foto, S. 64)

ÜBRIGENS! Alternative Werkzeuge

Verschiedene Schaber und Werkzeuge zum Gerben lassen sich auch ohne großen Aufwand aus alten Garten-, Bauern- und Holzbearbeitungsgeräten herstellen. So z. B. aus Spachteln, Beiteln, Dielenkratzern, Baumschabern, Spaten, Rindenschälern und dergleichen mehr. Diese sind oft formschön, liegen gut in der Hand. Meist muss man nur die Klinge etwas umarbeiten, sie kürzen und ihr die notwendige konkave Form verleihen und fertig ist das Werkzeug. Fundgrube für solche alten Geräte sind Flohmärkte, Trödelläden und natürlich das Internet.

Um mit diesem Schaber zu arbeiten, legt man die Haut ausgebreitet über die Querstange, welche man bereits zum Auswringen verwendet hat, fixiert sie dort, indem

Gerber beim Weichmachen. Die Person in der Mitte arbeitet am Seil. Rechts ist der Pfahl im Einsatz.

Arbeiten an der Querstange

man sich mit dem Oberkörper dagegen-
lehnt und das lose herabhängende Ende
mit einer Hand ergreift und spannt, um
es dann mit dem Schaber in der anderen
Hand mit kräftigen gleichmäßigen Ab-
wärtsbewegungen zu schaben, zu dehnen
und zu strecken. Die Haut kann dafür aber
auch z. B. über eine Stuhllehne gelegt sein.
Setzt man sich nun verkehrt herum auf
den Stuhl und fixiert die Haut ebenfalls mit
dem Oberkörper, ergreift man das frei herabhängende Ende mit einer Hand, streckt
es von sich und bearbeitet es kräftig mit
dem Schaber.

Die Schaber eignen sich besonders gut,
um eventuell entstehende Krusten auf der

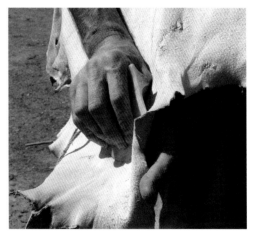

Arbeiten mit dem Schaber, um die Haut zu
strecken, aufzurauen und Krusten zu entfernen.
Dieser Schaber ist aus dem Schulterblatt eines
Rindes geschnitten.

Oberfläche des Leders zu entfernen, welche durch das Antrocknen entstehen, und ihm eine luftige und frotteeartige Struktur zu verleihen. Bei der Verwendung aller Werkzeuge dürfen ruhig „die Fetzen fliegen", was bedeutet, dass kleine fusselartige Hautstückchen abgetragen werden. Dies ist durchaus erwünscht, da es die Oberfläche der Haut öffnet und sie weich und geschmeidig macht und gleichzeitig die Trocknung vorantreibt. Hat man die Haut nun eine Zeitlang kontinuierlich bearbeitet, so kann man sie wieder für eine Weile in die Sonne oder an den Ofen legen und weiter trocknen lassen. Dies verschafft einige Verschnaufminuten. Braucht man während der Arbeit dagegen eine längere Pause, so steckt man die Haut eine Weile in eine Plastiktüte und legt sie an einen kühlen Ort. Dies bewahrt sie vor einem weiteren Austrocknen. Wie bereits erwähnt, lenkt man das Augenmerk zuerst auf die dünnen Stellen der Haut, um diese durch gezieltes Dehnen und Strecken zu bearbeiten, bis sie getrocknet und weich sind. Die äußersten paar Millimeter des Randes lassen sich allerdings oft nie vollständig weich machen und werden nach dem Räuchern einfach abgeschnitten. Während man die Ränder und dünnen Flanken bearbeitet, darf man allerdings nicht den Rest der Haut außer Acht lassen. Stellen, welche sich bereits etwas unnachgiebig und versteift wie Pappe anfühlen, brauchen besondere Aufmerksamkeit. Hartnäckige unnachgiebige Stellen lassen sich am besten durch kraftvolle Bearbeitung mit dem Pfahl oder am Seil weich machen. Das Weichmachen ist ein Vorgang, der im wahrsten Sinne des Wortes Fingerspitzengefühl erfordert, denn mit den

Händen tastet man kontinuierlich die Haut ab, fühlt und sucht die Stellen, welche als nächstes der Bearbeitung bedürfen.

Der Nacken, Stellen entlang des Rückgrats sowie die Gegend oberhalb des Schwanzes (die Pobacken des Tiers) sind die dicksten Bereiche jeder Haut. Sie bedürfen am Ende des Prozesses, während die Flanken bereits getrocknet und weich sind, der meisten Arbeit und sind gewöhnlich diejenigen, welche am schwierigsten weichzumachen sind und gelegentlich sogar steif bleiben. Sollten in einer ansonsten weichen Haut harte Stellen verbleiben, die sich trotz aggressiver Bearbeitung nicht beseitigen lassen, dann hilft alles nichts und die Haut muss nochmals in die Gerbesubstanz eingelegt werden und das Weichmachen wiederholt werden. Auch hier ist es die

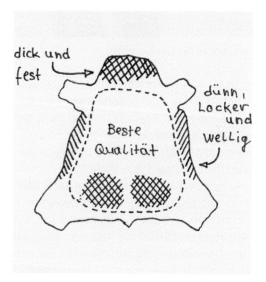

Diagramm der Haut mit schraffierten dicken und hartnäckigen sowie dünnen und nachgiebigen Stellen. Diese Unterschiede fallen beim Schaben, beim Weichmachen und beim Verarbeiten des fertigen Leders ins Gewicht.

Erfahrung, welche einen lehrt, frühzeitig zu erkennen, ob eine Haut einer weiteren Behandlung mit Gerbesubstanz bedarf oder nicht.

Die Haut darf erst dann gänzlich aus den Händen gelegt werden, wenn sie völlig trocken und hoffentlich weich, weiß und geschmeidig geworden ist.

DAS RÄUCHERN

Dieser letzte Schritt des hier beschriebenen Gerbeprozesses ist das Räuchern. Er ist allerdings nicht zwingend notwendig. Von vielen Indianerstämmen ist z. B. bekannt, dass sie weißes ungeräuchertes Leder für Festtagskleidung verwendeten, unter anderem, weil es als Hintergrund für Bemalungen und Dekorationen einen besseren Kontrast bietet. Wird dieses Leder aber nass, so verliert es nach dem Trocknen seine Geschmeidigkeit und wird steif und rau, sodass der Prozess des Weichmachens wiederholt werden muss (wenn auch mit viel weniger Aufwand).

Um aber ein Gebrauchsleder zu erhalten, welches feucht werden darf oder sogar gewaschen werden kann, um danach genauso geschmeidig zu sein wie vorher, ist es nötig, die weiße Haut nach dem Weichmachen zu räuchern.

Dieser Vorgang gibt dem Leder eine goldgelbe bis braune Farbe und es bewahrt seine Geschmeidigkeit auch nach wiederholtem Nasswerden. Außerdem wirkt sich der Rauchgeruch vorteilhaft gegen Insekten aus (siehe S. 84), welche gelegentlich Rohhäute, weißes Leder und Pelze befallen, wenn diese zu lange an dunklen, schlecht durchlüfteten Plätzen gelagert sind.

Für das Räuchern wird aus dem Leder ein Art Sack geformt, in den der Rauch hineingeleitet wird.

Der Räuchersack

Hat man nur eine Haut zum Räuchern, so wird diese der Länge nach, also entlang des Rückgrads, zusammengefaltet. Möchte man zwei Häute räuchern, was wegen des Arbeitsaufwandes ökonomischer ist, so sucht man sich zwei gleich große und etwa gleich dicke Leder aus und legt sie deckungsgleich aufeinander. Um die Häute nun zu einem dicht abschließenden Sack

Schematische Räuchervorrichtung für zwei gleich große Leder

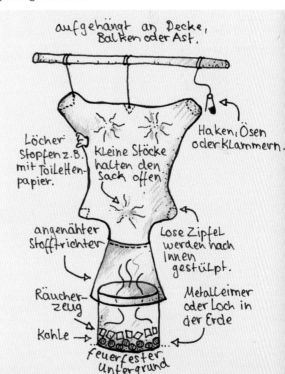

zu formen, aus dem so wenig Rauch wie möglich entweichen soll, werden sie entlang des Außenrandes zusammengenäht. Nur der Nacken wird nicht zugenäht, denn durch diese Öffnung soll der Rauch eingeleitet werden.

Das Nähen kann von Hand mit einem gewöhnlichen Heftstich geschehen oder man führt die Naht mit einer Nähmaschine aus. Das Nähen von Hand ist zeitaufwändiger, und wer über eine gewöhnliche Haushaltsnähmaschine verfügt, sollte diese verwenden. Es bedarf keiner speziellen Ledernadel für diese Arbeit. Eine weite, lockere Stichweite sowie die Verwendung eines Garns mit geringer Reißfestigkeit ist zu empfehlen, da der genähte Sack am Ende des Räucherns entlang der Naht wieder aufgerissen wird. Ist die Stichweite hingegen zu eng und das Garn zu fest, kann es bei dünnen Häuten geschehen, dass beim Aufreißen des Sacks die Haut entlang der Naht einreißt.

Die Ränder des Leders sollten möglichst deckungsgleich aufeinanderpassen, aber

Hirngegerbtes Leder lässt sich wunderbar mit einer gewöhnlichen Nähmaschine nähen. Auch der Räuchersack kann so hergestellt werden.

kleine Zipfel und überstehende Stellen sind kein Problem. Sie können miteingenäht oder abgeschnitten werden. Löcher in den Ledern, welche vor dem Weichmachen nicht zugenäht wurden, stellen auch kein Problem dar. Sie sollten während des Räucherns allerdings verstopft werden, um ein übermäßiges Entweichen des Rauchs zu verhindern. Denn je weniger Rauch aus dem Ledersack entweicht, desto schneller ist der Prozess beendet.

Der Stofftrichter

Ein schlauchförmiger Trichter aus Stoff dient dazu, einen Abstand zwischen Rauchquelle und Leder zu schaffen und den Rauch in den Ledersack zu leiten. Zu diesem Zweck fertigt man aus einem festen Stück Stoff, z. B. Jeansstoff oder Segeltuch, einen Trichter von ca. 50 cm Länge an. Es ist ratsam, keine Kunstfasern zu verwenden, da sich dadurch die Brandgefahr erhöht. Dieser Trichter wird mit der kleineren Öffnung an die Öffnung des Ledersacks am Nacken angepasst und dort festgenäht. Das breitere Ende sollte weit genug sein, um lose über den Container zu passen, in dem der Rauch erzeugt wird.

Der Räuchereimer

In einem Gefäß wird der Rauch erzeugt, der in den Ledersack geleitet wird. Zu diesem Zweck verwendet man einen Metalleimer von etwa 30–50 cm Durchmesser oder ein ähnliches feuerfestes Gefäß. Im Räuchereimer wird nun ein Feuer entfacht oder Grillkohle entzündet. Ist daraus ein ordentlich glühendes Kohlenbett entstanden, welches den gesamten Boden des Eimers bedeckt, wird darauf das Räuchermaterial aufgebracht, damit ein dichter beißender

Räuchermaterial und Räuchereimer aus einer großen Konservendose. Weidenrinde im Vordergrund, dahinter braunfaules Holz

Qualm entsteht. Statt eines Eimers kann z. B. auch ein Holzofen verwendet werden, um den Rauch über das Ofenrohr in den Ledersack zu leiten. Im Räuchereimer soll nur Qualm entstehen und es sollen keine Flammen lodern.

Das Räuchermaterial

Als Räuchermaterial kann grundsätzlich jedes natürliche brennbare Material verwendet werden, welches Qualm erzeugt. So z. B. Blätter, Heu oder Stroh, grobe Sägespäne, Hackschnitzel, sogar Kuh- oder Schafsmist. Jedenfalls sollte das Material gut durchgetrocknet sein und es gilt bei der Auswahl zu bedenken, dass Blätter und Heu schneller zu Asche werden als z. B. Rinde und deswegen in größeren Mengen zur Verfügung stehen müssen. Das bevorzugte Räuchermaterial ist allerdings morsches Holz, und zwar solches von abgestorbenen Bäumen, deren Inneres von der so genannten „Braunfäule" befallen ist. Diese durch Pilzbefall hervorgerufene Schädigung führt zu einer rotbraunen Verfärbung des Holzes, welches dabei in

Räucher-Set-up für zwei Hirschhäute. Der Sack hängt in einer Konstruktion aus vier Fichtenstangen. Die äußere Seite ist bereits goldbraun. Rauch ist keiner zu sehen. So soll es sein, es bedeutet, dass der Sack dicht ist.

kantige, eckige Stücke zerfällt – der so genannte „Würfelbruch". Dieses Faulholz wird gesammelt und die Stücke in etwa auf die Größe gewöhnlicher Grillkohle verkleinert, worauf man sie an der Luft für den Gebrauch trocknet.

Morsches Holz von Nadelbäumen sollte keine Harzbröckchen enthalten, denn dies erzeugt Ruß und kann die Oberfläche des Leders verkleben. Das Holz darf auch nicht so modrig sein, dass es beim Anfassen völlig zerbröselt und in feine Fasern zerfällt. Verschiedene Räuchermaterialien ergeben unterschiedliche Färbungen des Leders.

Der Prozess

Geräuchert werden kann unter freiem Himmel, wobei man aber darauf achten sollte, dass keine Gefahr von Regen herrscht und es relativ windstill ist. Das Arbeiten unter einem Dach oder gar in einem Schuppen oder Unterstand ist dagegen sicherer, da man dort von Wind und Wetter unabhängig ist.

Der Ledersack wird so aufgehängt, dass der Stofftrichter über den Räuchereimer

Diese Räuchervorrichtung befindet sich in einem Schuppen. Die Häute hängen von der Decke. Unter dem Räuchereimer liegt eine feuerfeste Platte. Hier ist man vor Wind und Regen geschützt.

fallen kann, um den entstehenden Rauch in den Sack zu leiten. Aufgehängt werden kann der Räuchersack mit dem angenähten Trichter an einem Ast, einem Vordach oder irgendeiner anderen stabilen Konstruktion. Dabei gilt es, den Räuchersack durch das Einbringen von 2–4 dünnen Stöckchen oder Holzspänen offen zu halten, um den Rauch frei im Inneren zirkulieren zu lassen. Diese Stöckchen sollten dann während des Räucherns zwei- bis dreimal umpositioniert werden, um ein gleichmäßiges Räuchern zu ermöglichen. Zusätzlich kann man von außen nachhelfen, indem man kleine Haken, z. B. umgebogene Stecknadeln, durch das Leder steckt und mit Bindfaden irgendwo befestigt, um den Sack etwas aufgespannt und offen zu halten. Denn sollten sich die Innenseiten des Sacks berühren, erreicht sie dort kein Rauch und die Stellen bleiben weiß.

Löcher in den Häuten können mit trockenem Gras, Toilettenpapier oder Lumpen zugestopft werden, um ein übermäßiges Entweichen des Qualms zu verhindern.

Nun streut man einige Handvoll Räuchermaterial auf des Kohlebett und im Handumdrehen entwickelt sich ein dichter beißender Qualm. Das ist genau das, was benötigt wird. Keine Flammen, sondern nur viel Rauch!

Man sollte während des gesamten Räuchervorgangs anwesend sein und regelmäßig den Inhalt des Eimers überprüfen. Es dürfen dort keine Flammen auflodern, welche den Stofftrichter oder gar das Leder versengen würden. Dazu hebt man gelegentlich den Stofftrichter an einer Stelle

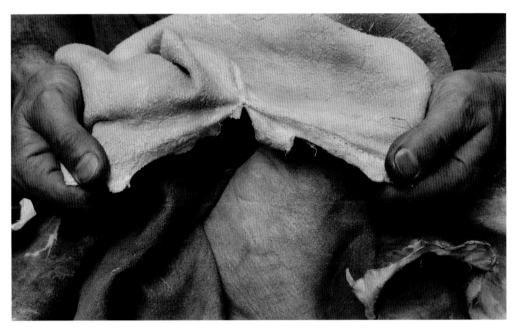

Auftrennen des Räuchersacks. Verwendet man dünnes, schwaches Garn, lässt sich der Sack einfach aufreißen. Das Leder ist fertig!

an, späht in den Eimer und fühlt mit der hineingesteckten Hand nach Hitzeherden. Entwickeln sich Flammen, kann man etwas Wasser darauf spritzen, welches man immer parat haben sollte, oder man legt ein wenig feuchteres Räuchermaterial nach. Lässt die Rauchentwicklung nach, muss etwas mehr Räuchermaterial nachgelegt werden.

Dauer des Räucherns

Gewöhnlich beginnt man damit, die Haarseite der Häute zu räuchern. Sieht man nach einiger Zeit auf der Außenseite des Leders, also der Fleischseite eine bräunliche Verfärbung an den Flanken oder an anderen dünnen Stellen, bedeutet dies, dass der Rauch dort bereits die Haut vollständig durchdrungen hat und man davon ausgehen kann, dass die Haarseite ausrei-

chend geräuchert ist. Alternativ dazu kann man den Verlauf des Räucherns bzw. der Verfärbung überprüfen, indem man den Stofftrichter vom Eimer zieht, ihn bis zum Nacken umkrempelt und somit den Ledersack von innen betrachtet. Sind größere Löcher im Leder, kann man auch dort die Verstopfung herausziehen und durch diese Öffnung den Verfärbungsprozess im Inneren überprüfen. Die Dauer des Räucherns ist von der Größe der Häute und somit dem Volumen des Sacks sowie der Intensität der Rauchentwicklung abhängig und kann für einen Sack aus zwei Damhirschhäuten zwischen 15 Minuten und einer Stunde liegen.

Ist die eine Seite fertig geräuchert, krempelt man den Ledersack samt Trichter mit der Innenseite nach außen und räuchert die andere Seite noch einmal genau so lan-

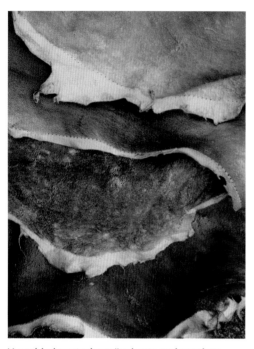

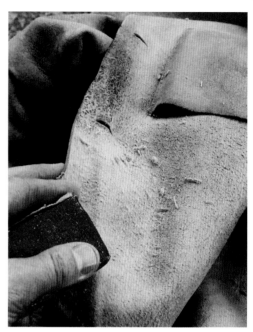

Verschieden stark geräucherte und rauchge-
färbte Leder. Die Dauer des Räucherns und die
Art des Räuchermaterials sind für die Färbung
verantwortlich.

Statt seine fertigen Lederprodukte ständig zu
waschen, sollte man oberflächliche Verunreinigungen lieber mit grobem Schmirgelpapier
abschleifen, wie bei dieser alten und viel getra-
genen Lederjacke.

ge. Danach entfernt man den Trichter und
reißt den Räuchersack entlang der Naht
wieder auf. Fertig!

Andere Räuchervorrichtungen als die
hier beschriebene zu verwenden, so z. B.
solche, wie sie für Fleisch oder Fisch genutzt werden, in denen die aufgehängte
Ware frei von Rauch bestrichen wird, haben sich als ungeeignet erwiesen, da in
solchen Anlagen zwar mehrere Häute auf
einmal geräuchert werden können, sich
die Dauer des Räucherns aber sehr viel
verlängert, weil der Rauch die freihängen-
den Häute lediglich umstreicht und nicht
so leicht durchdringt. Aber natürlich kann
hier experimentiert werden.

Die Farbe von frisch geräuchertem Leder
ist von der Länge des Räucherns sowie
der Wahl des Räuchermaterials abhängig.
Ein längeres Räuchern ergibt immer einen
dunkleren Farbton. Diese Färbung ist jedoch nicht lichtecht, denn sie verblasst
kontinuierlich im Laufe der Monate, in denen das Leder dem Sonnenlicht ausgesetzt
ist.

Waschen und Reinigen

Fertig geräucherte Häute riechen zu Beginn sehr stark nach Rauch, was nach
dem Waschen und längerem Auslüften auf
ein angenehmes Niveau gesenkt werden
kann. Es empfiehlt sich daher, das Leder

nach dem Räuchern zu waschen. Dies reduziert aber nicht nur den Rauchgeruch, sondern entfernt eventuelle Rückstände des Räucherns, welche der Oberfläche gelegentlich eine leicht klebrige Griffigkeit verleihen. Außerdem gibt das Waschen der Haut die Möglichkeit, nach dem strukturell strapaziösen Weichmachen in seiner natürlichen Form zur Ruhe zu kommen.

Geräuchertes Leder oder daraus gefertigte Kleidung kann mit kaltem oder lauwarmem Wasser und etwas milder Seife von Hand gewaschen werden.

Danach sollte man das Leder vorsichtig auswringen und es zum Trocknen flach hinlegen. Das Aufhängen auf einer Wäscheleine eignet sich bei schweren und dickeren Häuten erst, wenn die Leder bereits angetrocknet sind, da das Leder bzw. das Kleidungsstück sonst seine Form verliert.

Ist das Kleidungsstück oder das Leder fast vollständig getrocknet, sollte man es leicht ausschütteln und es ein wenig dehnen und strecken, um dem Leder die Möglichkeit zu geben, seine natürliche Form wiederzufinden. Ein anschließendes Aufrauen der Oberfläche mit Bims oder grobem Schmirgelpapier kann den Prozess beenden, um der Oberfläche maximale Samtigkeit zu verleihen. Ein ständiges und wiederholtes Waschen sollte allerdings vermieden werden, da die Geschmeidigkeit der Häute auf Dauer darunter leiden kann. Stattdessen ist, wie bei Wollbekleidung, ein ausgiebiges Lüften und gelegentliches „Sonnenbad" vorzuziehen. Krustige, speckige und andere Verschmutzungen der Oberfläche des Leders sollten daher auch lieber durch Ausbürsten oder Abschleifen entfernt werden. Dazu eignet sich grobes Schmirgelpapier für die Holzbearbeitung oder auch grobe Drahtbürsten, wie man sie zum Entfernen von Rost und dergleichen kennt. In gleichmäßig kreisenden und kreuzweisen Bewegungen kann auf diese Weise die Oberfläche von Ledergegenständen gereinigt und erneuert werden.

GERBEN VON FELLEN

Das nun folgende Kapitel beschreibt das Gerben von Fellen, d. h. Häute mit intaktem Haarkleid. Dabei können die Häute der verschiedensten Huftiere (Schalentiere), wie z. B. Reh, Hirsch, Gämse, Ziege und Schaf, aber auch von großen Tieren, wie Elch, Rind und Bison, auf diese Weise bearbeitet werden. Besonders die sehr großen Häute erfordern aber einen entsprechend größeren Arbeitsaufwand und sind daher nicht als Einsteigerprojekte zu empfehlen. Wie eingangs bereits erwähnt, eignet sich die hier behandelte Methode für Wildschweinfelle nicht besonders.

Bevor man aber auch das Fell von der Größe eines ausgewachsenen Rothirsches angeht, sollte man bereits einige Erfahrungen mit der Lederherstellung gesammelt haben und einige kleinere Felle gegerbt haben, da es sich um einen sehr arbeitsintensiven Vorgang handelt, welcher ohne die notwendige Übung als sehr frustrierend empfunden werden kann. Alle Angaben in diesem Teil beziehen sich auf eine durchschnittlich große Damhirschhaut. Wer besonders am Gerben sehr großer Häute, wie Rind, Elch oder Bison, interessiert ist, dem sei das Buch "Native American Buffalo Robes" des Autors empfohlen (siehe „Literaturverzeichnis", S. 134).

Viele der Kenntnisse, welche für das Bearbeiten eines Fells notwendig sind, wurden bereits in dem Kapitel „Gerben von Leder", siehe S. 40 ff., als Grundlagen vermittelt und werden hier nicht wiederholt. Daher empfiehlt es sich, dieses Kapitel zuerst gründlich durchzulesen und zu verinnerlichen.

Natürlich gibt es aber auch viele Unterschiede im Vergleich zur Lederherstellung und diese werden im Folgenden im Detail beschrieben.

Ein Hauptmerkmal des Gerbens von Fellen im Gegensatz zum Leder ist es zu verhindern, dass die Haare während des Vorgangs ausfallen. Wo immer anhaltende Feuchtigkeit und Wärme zusammenkommen, lauert die Gefahr der Bakterienentwicklung und damit des Haarausfalls. Was in der Lederherstellung gewünscht ist, gilt es hier also zu vermeiden. Das bedeutet, dass der eingangs erwähnte Arbeitsschritt des Äscherns bei der Fellbearbeitung entfällt.

Neben den im Kapitel „Die Praxis" unter „Auswahl und Beschaffung der Häute" genannten Kriterien, S. 27 ff., gilt es zu beachten, dass vor allem bei gesalzenen Fellen immer die Gefahr besteht, dass eine Bakterienentwicklung eingesetzt hat und deswegen an der einen oder anderen Stelle, trotz aller Vorsicht, die Haare ausgehen. Dieselbe Gefahr besteht auch bei getrockneten Häuten, besonders bei dicken, denn diese müssen erst eine geraume Zeit eingeweicht werden, um sie flexibel zu machen. Grundsätzlich eignen sich frische oder frisch eingefrorene Felle am besten.

ÜBRIGENS! Insektenbefall

Achtung Insektenbefall! Da es sich bei der hier beschriebenen Methode um einen ökologischen Prozess handelt, welcher ohne aggressive Chemikalien auskommt, bleiben Felle und Pelze ebenso wie Bekleidung aus Wolle ein interessantes Fressen für Insekten, wie Motten und Pelzkäfer. Dies ist aber nur dann ein Problem, wenn die Häute oder daraus gefertigte Gegenstände längere Zeit ungenutzt an dunklen und schlecht durchlüfteten Orten rumliegen, wie z. B. in Truhen, Schubladen oder Schränken. Die Plagegeister lieben solche Orte und ihre Larven nagen hauptsächlich die Epidermis an, was zu Haarausfall führt. Für Leder stellen sie keine Gefahr dar. Sollen Felle also längerfristig eingelagert werden, empfiehlt sich ein Verpacken in dicht verschließbare Behälter oder dicke Plastiktüten. Besser noch sind dicht abschließende Stoffsäcke, welche weiterhin ein „Atmen" der Felle ermöglicht. Die Zugabe von in ätherischen Ölen getränkten Läppchen oder ganzen Pflanzenteilen ist ebenfalls hilfreich. Historisch wurden hierzulande besonders Kampfer, Nelkenwurz, Rainfarn und Schwertlilie verwendet, aber auch Lavendel und Zeder. Weiterhin kamen Schwefel und Borax zur Insektenbekämpfung zum Einsatz, sind aber heute wegen der Gesundheitsgefährdung auszuschließen. Ein Räuchern wirkt ebenfalls abschreckend auf Insekten.

Gelegentliches Lüften an der Sonne und das so genannte „Klopfen" mit eigens dafür präparierten Haselnussruten, welche in einem bestimmten Takt auf die Felle geschlagen werden, war früher die vorherrschende Methode der Kürschner, um Insektenlarven und Schmutz aus wertvollen Pelzen zu entfernen.

DAS WASCHEN

Alle Felle sollten vor dem Bearbeiten gründlich gewaschen werden. Besonders die Haarseite bedarf einiger Aufmerksamkeit, um Schmutz, Blut oder andere Verunreinigungen auszuspülen. Hierfür verwendet man am besten warmes Wasser versetzt mit Seife oder Spülmittel. Das Waschen ist besonders wichtig, wenn man gesalzene Häute verwendet. Solche Felle gilt es, gründlich zu spülen und einzuweichen, bis auch alles Salz herausgewaschen wurde. Je nach Grad der Verunreinigung wird man das Wasser mehrere Male wechseln müssen, bis das Waschwasser idealerweise klar bleibt.

DER RAHMEN UND DAS EINSPANNEN

Der Zweite große Unterschied zum Gerben von Leder ist, dass die Felle zur Bearbeitung in einen Rahmen eingespannt werden. Ein Aufspannen direkt auf dem Boden, mit Hilfe von Pflöcken, wie aus der Ethnologie bekannt, ist für den modernen Gerber in den meisten Fällen ungeeignet.

Für die Konstruktion des mobilen Spannrahmens eignen sich besonders Vierkanthölzer aus dem Baumarkt. Für eine Hirschhaut sollten die Hölzer ein Kantenmaß von etwa 4 x 6 cm oder eine vergleichbare Stärke aufweisen. Es ist immer ratsam, lieber einen zu stabilen als einen zu schwachen Rahmen zu bauen, denn dieser wird beim

Spannen, Trocknen und Bearbeiten der Haut Belastungen ausgesetzt, welche umso stärker sind, je größer und dicker die Haut ist. Für die Konstruktion des Rahmens können die Enden der Kanthölzer mit ineinanderpassenden Kerben versehen werden, um den Zusammenhalt zu verstärken.

Dann fügt man die Balken mit Hilfe von stabilen Nägeln oder Schrauben zusammen. Der Einsatz von Flügelschrauben empfiehlt sich, wenn man den Rahmen nach dem Gebrauch wieder zerlegen möchte, um z. B. Stauraum zu sparen. Natürlich lassen sich auch rustikale Rahmenvarianten z. B. aus unbearbeiteten Fichtenstämmen oder Ähn-

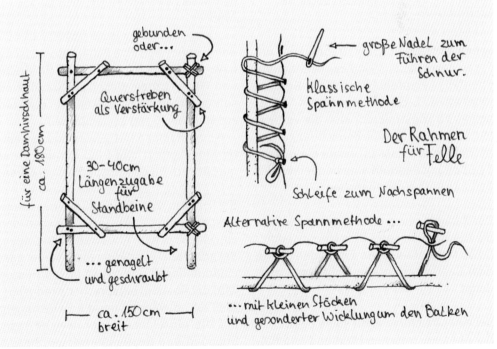

Rahmenkonstruktion und Einspannmethoden für das Gerben von Fellen

Konstruktion eines Rahmens aus trockenen
Fichtenstangen

Zum Führen der Schnur beim Einspannen der
Haut in den Rahmen kann eine selbstgefer-
tigte Nadel verwendet werden, wie diese aus
Knochen.

lichem anfertigen. Querstreben über die
Ecken des Rahmens sind zur Verstärkung
ebenfalls empfehlenswert. Außerdem
lohnt es sich, einen Rahmen mit Stand-
beinen zu konstruieren, also die vertikalen Hölzer im unteren Bereich länger als
notwendig zu belassen, um für die spätere
Bearbeitung der Haut eine bequemere Arbeitsposition zu ermöglichen.

Der Rahmen muss um einiges größer als
die frische Haut sein. Dies ist notwendig,
da sich die Haut beim Einbinden sowie
dem Bearbeiten in alle Richtungen aus-
dehnt.

Bei einer Damhirschhaut sollte deswegen
der Abstand zwischen Hautrand und Balken an allen Seiten etwa 20 cm betragen.

Damit ergibt sich eine Rahmenabmessung
bzw. Balkenlänge von ca. 120 cm Breite
und 150 cm Länge. Wegen der Standbeine
sollten die vertikalen Balken aber etwa um
zusätzliche 30–40 cm länger sein.

Ist der Rahmen fertig, wird das Fell mittig hineingelegt und rund um den Rand
mit Löchern für das Einspannen versehen.

Bei Häuten von der Größe eines Dam-
hirschs sollte der Abstand zwischen den
einzelnen Löchern etwa 6–8 cm betragen.
Bei größeren Fellen können sie weiter auseinanderliegen und bei kleineren Häuten
wird der Abstand entsprechend reduziert.
Dies ist notwendig, um die Belastungen
auf die einzelnen Löcher, welche beim
Spannen und Bearbeiten wirken, besser
zu verteilen. Sehr dünne Felle, wie z. B.

Bei besonders großen Fellen, wie bei diesem Bison, sind entsprechend stabile Rahmen-konstruktionen und dicke Schnüre bzw. Seile notwendig.

Fertig eingespanntes Damhirsch-Winterfell im Rahmen

Winterdecken vom Reh, haben trotz allem die Tendenz, bei der Bearbeitung gelegentlich an den Löchern auszureißen. Geschieht dies, muss man lediglich neben der betroffenen Stelle ein neues Loch schneiden und die Haut neu spannen. Um einem Ausreißen entgegenzuwirken, kann man sich auch entscheiden, bereits vor dem Schneiden der Löcher einen Streifen Haut entlang der dünnen Flanken zu entfernen. Der Abstand der Löcher zum Rand der Haut sollte so gering wie möglich, aber so groß wie nötig sein, um ein Ausreißen zu verhindern. Bei einem Hirsch beträgt dieser Abstand etwa einen halben Finger breit oder 0,5 cm.

Am einfachsten lassen sich die Löcher schneiden, indem man die Haut mit der Fleischseite nach oben auf den Boden legt. Nun schiebt man ein Brett unter den Fellrand, um dann mit einem Messer von oben, gegen den Widerstand des Bretts, durch die Haut hindurchzustoßen. An einigen Stellen entlang des Randes muss man davor eventuell mit dem Messer anhaftende Fleisch- oder Fettreste entfernen. Bei besonders starken Häuten, wie Rind, Bison oder Elch, sollte die Haut an besonders dicken Stellen, wie z. B. dem Nacken, vor Anbringung der Löcher mit dem Messer horizontal gespalten und somit ausgedünnt werden. Sind alle Spannlöcher in die Haut geschnitten, wird das Fell mit stabiler Schnur bzw. einem Seil mittig und stramm in den Rahmen eingebunden.

Dicke Schnur verteilt die auf die Spannlöcher wirkenden Kräfte besser als dünne und hilft somit ebenfalls, ein Ausreißen der Löcher zu verhindern. Die Schnur sollte mindestens einen Durchmesser von 2,5 Millimetern haben. Bei großen und dicken Häuten sind entsprechend stabilere Schnüre oder Seile notwendig. Für das Einspannen bedarf es mehr Schnur, als man auf den ersten Blick erwarten könnte. Bei einer Hirschhaut sollte man also mindestens 20 Meter Schnur parat haben. Diese kann auch in zwei oder mehr Teile zerschnitten werden, um das Einspannen zu erleichtern, da dies die Gefahr des Verhedderns beim Arbeiten verhindert. Zu Beginn wird die Haut erst einmal gleichmäßig und mittig, ihrer natürlichen Form entsprechend, lose in den Rahmen eingebunden. Erst danach wird rundherum nachgespannt, bis die Haut stramm sitzt und keine Falten mehr aufweist.

Verwendet man relativ dünne Schnüre kann das Verwenden einer großen Nadel hilfreich sein, um die Schnur durch die Schnittlöcher zu führen. Eine solche Nadel kann aus Holz, Knochen oder Metall auch selbst hergestellt werden. Die Schnur sollte immer von der Fleischseite her durch das Loch geführt werden. Dies verhindert beim Durchziehen der Schnur ein Mitführen der Haare, welche das Loch verstopfen und ein Durchziehen erschweren können.

DAS ENTFLEISCHEN UND TROCKNEN

Beim Entfleischen im Rahmen können große zusammenhängende Schichten mit den bloßen Händen abgezogen werden, um ein rasches Trocknen der Haut darunter zu gewährleisten.

Nach dem Einspannen wird der Rahmen vom Boden aufgehoben und vertikal an eine Wand gelehnt, damit die folgende Bearbeitung im Stehen erfolgen kann.

Nun gilt es erst einmal, alle großen Fett- und Fleischreste von der Haut zu entfernen. Dies erfolgt ganz einfach mit den bloßen Händen oder unter Zuhilfenahme eines scharfen Messers.

Kleinere Reste und dünnste Gewebeschichten können vorerst an der Haut verbleiben, da sie das folgende Trocknen nicht behindern. Diese Arbeit kann je nach Zustand und Größe der Haut bereits nach einigen Minuten beendet sein. Andererseits kann das Entfleischen einer großen Bisonhaut hingegen mehrere Stunden in Anspruch nehmen.

Während des Entfleischens gibt die Haut gewöhnlich etwas nach und hängt eventuell bauchig durch. Deswegen muss sie vor dem folgenden Trocknen noch einmal nachgespannt werden. Das Trocknen kann dann, solange das Wetter mitspielt, im Freien geschehen. Dafür bedarf es eventuell einiger Tage, bevor eine große Hirschhaut gänzlich durchgetrocknet ist. Direkte und extreme Sonneneinstrahlung sollte man jedoch vermeiden. Am sichersten ist es, den Rahmen unter einem Dach, in einem Unterstand, einer Garage oder in einer Scheune unterzubringen. In geschlossenen Räumen und bei großen Häuten sollte für ausreichende Lüftung gesorgt sein. Außerdem kann es notwendig sein, eine zusätzliche Wärmequelle parat zu haben,

wie z. B. einen Holzofen oder Gasheizer, um ein zügiges Trocknen zu garantieren. Bei langanhaltender Feuchtigkeit besteht die Gefahr der Fäulnis, sodass die Haare ausgehen oder die Haut sogar zu schimmeln beginnt.

Im Winter können Häute bei zuverlässig anhaltenden Minusgraden auch im Freien gefriergetrocknet werden.

Ist das Fell steif getrocknet und dadurch stramm wie eine Trommel, so ist es sicher vor Bakterienbefall und Fäulnis und das folgende Schaben kann nun zeitlich nach Belieben vorgenommen werden.

DAS ENTFERNEN DER UNTERHAUT UND DAS AUSDÜNNEN

Bei diesem Arbeitsschritt werden die Unterhaut und verbliebene Gewebe- und Fettreste entfernt und die Haut somit für die folgende Gerbung vorbereitet. Verschiedenartig gestaltete Werkzeuge eignen

sich für diese Arbeit. Ihnen allen gemein ist aber eine konvex gebogene schmale Arbeitskante, ähnlich wie vom Weichmachen beim Leder bereits bekannt, und ein gut in der Hand liegender Griff. Ideal sind

Werkzeug zum Entfernen des Unterhautgewebes bei getrockneten Fellen. Von links: Halbierter Mittelfußknochen vom Rothirsch, Flachbeitel, Eisenklinge im Holzgriff mit feiner Zahnung, Feuersteinkratzer (latein. *silex*) in Holzschäftung. Allen Werkzeugen ist die schmale konkave Arbeitskante gemeinsam.

Arbeitsweise beim Entfernen der Unterhaut. Die Klinge wird im rechten Winkel angesetzt und nach unten weggezogen, wobei die typischen Schabespäne entstehen.

An manchen Stellen lässt sich die getrocknete Unterhaut auch mit der Hand abziehen. Aber Vorsicht an dünnen Stellen: Hier kann die ganze Haut mit einreißen.

messerscharfe Klingen aus qualitativem Werkzeugstahl, aber auch umgearbeitete Spachteln oder gar Geräte aus Knochen und Feuerstein, wie aus der Archäologie bekannt, erweisen sich als erstaunlich effektiv, wenn man mit ihrem Umgang vertraut ist. Der Schaber wird mit einer Hand geführt und etwa im 45°-Winkel auf der Haut angesetzt. Mit Druck zieht man das Werkzeug nun gleichmäßig schabend oder kratzend von oben nach unten über die Haut, um auf diese Weise das trockene Gewebe von der Fleischseite abzutragen.

Wie viel Material zu entfernen ist bzw. wie tief man zu schaben hat, ist für den Novizen nicht leicht ersichtlich, denn im Vergleich zur oben beschriebenen Nass-Schabemethode bei Leder arbeitet man vorzugsweise mit sehr scharfem Werkzeug, welches durchaus auch zu viel Material abtragen kann.

Das zu entfernende Gewebe besitzt jedoch eine gröbere, faserigere und lockere Struktur als die darunter zutage tretende Lederhaut. Erfahrung und genaues Beobachten lehren, wann ausreichend Material

Arbeitsposition beim Entfernen der Unterhaut. Dieses Fell ist so gut wie fertig geschabt.

Die Teilnehmer eines Kurses schaben ein Gämsenfell mit Feuersteinwerkzeug.

Beim Ausdünnen von dicken Stellen fallen bei großen Fellen Händevoll Hautspäne an. Die Indianer hoben diese Späne auf, um in schlechten Zeiten Suppe daraus zu kochen.

(links) Bei kleinen und dünnen Fellen gibt es häufig nicht viel Gewebe zu entfernen. Dann kann auch ein breiterer Schaber verwendet werden. Bei diesem Rehfell ist das Einschussloch zu sehen.

entfernt ist. Gelegentlich lässt sich das Unterhautgewebe an einigen Stellen auch von Hand in zusammenhängenden, pergamentartigen Stücken, gleich einem Pflaster, abziehen. Dies bietet die Möglichkeit, die natürliche Trennungslinie zwischen den Schichten wahrzunehmen und beim Schaben entsprechend vorzugehen. Auch hier sollte systematisch vorgegangen werden, um die gesamte Unterhaut vollständig zu entfernen. Verbleiben jedoch stellenweise kleine Reste oder wirkt die Oberfläche unregelmäßig und faserig, so ist dies kein großes Problem, denn solche Stellen können noch während der folgenden Arbeitsschritte mit Schmirgelblock oder Schaber entfernt werden. Um ein optimales Arbeiten zu gewährleisten, wird die Klinge gelegentlich nachgeschärft werden müssen.

Besonders an den Flanken, welche im getrockneten Zustand dünn wie Papier sein

können, lauert die Gefahr, die Haut durch ein seitliches Abrutschen der Klinge oder durch zu großen Druck zu beschädigen.

Vorsicht ist auch beim Arbeiten an den Rändern und Spannlöchern geboten, da hier ein Schnitt genügen kann, um die Schnüre zu durchtrennen, welche die Haut im Rahmen halten. Befinden sich noch andere Löcher in der Haut, muss auch um diese herum mit besonderer Vorsicht geschabt werden, um sie nicht ungewollt zu vergrößern.

Andererseits kann es bei großen Fellen an bestimmten Stellen aber auch notwendig sein, nicht nur die Unterhaut abzuschaben, sondern auch etwas von der darunterliegenden Lederhaut zu entfernen. Schließlich wird die Gerbesubstanz nur von der Fleischseite aufgetragen und es erfolgt auch kein Hautaufschluss, wie bei

Das Ausdünnen von sehr großen Fellen ist entsprechend aufwändig und größere, beidhändig führbare Schaber sind notwendig.

der Lederherstellung, um ein Eindringen der Fette zu erleichtern, daher empfiehlt es sich, besonders dicke Stellen der Haut vor dem Gerben etwas dünner zu schaben, um das folgende Weichmachen zu erleichtern oder überhaupt erst möglich zu machen. Beim Damhirsch wären das grundsätzlich die Stellen rund um das Hinterteil. Bei ausgewachsenen Rothirschen aber zusätzlich auch die Nackenpartie. Bei entsprechend großen Häuten kann dieses Ausdünnen recht umfangreich sein und sogar die gesamte Hautoberfläche umfassen, wie z. B. bei Bisons. Beim Dünnschaben ist es besonders wichtig, eine messerscharfe Klinge zu haben, denn nun wird regelrecht Material abgehobelt. Die dabei anfallenden Späne erinnern durchaus an die Hobelspäne der Holzbearbeitung.

Grundsätzlich gilt: je dünner die Haut geschabt ist, desto leichter und schneller verlaufen die Gerbung und das Weichmachen. Dabei gilt es jedoch, darauf zu achten, möglichst gleichmäßig schabend vorzugehen, um keine überdünnen Stellen zu erzeugen, denn an solchen können bei der Beanspruchung durch das Weichmachen Löcher entstehen. Als Richtwert kann das natürlicherweise dünne Material der Flanken als Vergleich herangezogen werden. Da man an einer Haut keine objektiven Dicke-Messungen vornehmen kann, ist man darauf angewiesen, durch Befühlen der Hautoberfläche sowie leichtes Beklopfen und Abtasten, auch von der Fellseite her, die Stärke der Haut an verschiedenen Stellen einzuschätzen. Auch hier wird man mit Erfahrung zunehmend an Sicherheit gewinnen, wie dünn eine ganze Haut oder bestimmte Stellen geschabt sein müssen, um optimale Weichheit und gleichzeitig die Integrität der Haut zu gewährleisten.

DAS AUFBRINGEN UND EINARBEITEN DER GERBESUBSTANZ

Nach dem vollständigen Entfernen der Unterhaut und dem eventuell notwendigen Dünnschaben erfolgt das Aufbringen und Einarbeiten der Gerbesubstanz. Das Ansetzen der Gerbesubstanz geschieht, wie oben bei der Lederbearbeitung beschrieben. Für die folgenden Arbeitsschritte verbleibt das Fell im Rahmen. Dieser wird nun wieder mit der Fleischseite nach oben auf den Boden gelegt, um die Gerbelösung aufzutragen. Der Untergrund, auf dem der Rahmen platziert wird, sollte nicht abschüssig und frei von Unebenheiten sein, da die aufgetragene Lösung sonst abläuft oder bestimmte Stellen nicht erreicht.

Falls man nicht möchte, dass der Untergrund von überlaufender Flüssigkeit verunreinigt wird, sollte man eine Plane oder Ähnliches unter den Rahmen legen. Nun beginnt man, auf einer Seite der Haut die warme Substanz von Hand großzügig auf die Fleischseite aufzutragen und durch kreisende Bewegungen gleichmäßig zu verteilen und einzureiben. So überarbeitet man die gesamte Oberfläche, bis alle Stellen gleichmäßig mit der Flüssigkeit benetzt sind.

Die Gerbesubstanz wird von Hand auf der geschabten Fleischseite aufgebracht.

(Rechts) Schaber für die Fellbearbeitung. Jetzt kommen hauptsächlich Schaber mit breiteren gebogenen Klingen zum Einsatz, um überschüssige Flüssigkeit abzuführen und das Fell zu dehnen. Das kann auch eine Muschel, ein Schulterblatt vom Reh oder ein gewöhnlicher Schöpflöffel sein.

Nach einer kurzen Einwirkzeit von etwa einer halben Stunde wird die komplette Fleischseite dann zusätzlich mit nassen, in Wasser getränkten Stofflaken oder mehreren Handtüchern abgedeckt. Dies bewirkt, dass die Haut nicht vorzeitig austrocknet und ein Reservoir an Feuchtigkeit vorhanden ist. Die Laken werden in warmem Wasser eingeweicht und sollten tropfnass und faltenfrei auf der Fleischseite aufgebracht werden. In diesem Zustand lässt man das Fell mehrere Stunden oder über Nacht ruhen. Danach werden die Handtücher entfernt und der Rahmen wieder aufgerichtet. Die Haut sollte nun eine bläulich-weiße Farbe angenommen haben und gänzlich vollgesogen, schwer und labberig im Rahmen hängen. Einige harte, nicht gänzlich erweichte Stellen sind häufig auch noch vorhanden, stellen aber vorerst kein Problem dar, da der Vorgang des Einweichens wiederholt wird. Nun wird das Fell von der Fleischseite kräftig mit dem Schaber bearbeitet. Dies dient dazu, überschüssige Flüssigkeit aus der Haut herauszuschaben und abzuführen. Außerdem wird sie dabei gedehnt. Nun wird man auch erkennen, welche Stellen weniger Flüssigkeit aufgenommen haben. Diese werden durch intensives Schaben gestreckt und gedehnt und für einen erneuten Auftrag der Substanz vorbereitet. Auch die Ränder bedürfen der besonderen Aufmerksamkeit, da sie generell nicht so leicht aufweichen wie der Rest der Haut.

Nun wird das Fell etwas bauchig durchhängen und kann rundherum nachgespannt werden.

Ziel ist es, die Haut so lange zu schaben, bis keine Flüssigkeit mehr austritt und sich die Oberfläche mit dem Schaber etwas

Dieses Fell ist unter dem vehementen Einsatz des Schabers eingerissen. Ein kraftvolles Arbeiten ist beim Weichmachen zwar notwendig, aber Vorsicht an den dünnen Flanken.

aufrauen lässt, was ein Zeichen dafür ist, dass die Oberfläche zu trocknen beginnt. Wie beim Wringen in der Lederproduktion macht ein weiteres Auftragen der Gerbeflüssigkeit nur dann Sinn, wenn die Haut nicht mehr tropfnass ist. Nun erwärmt man die verbliebene Gerbesubstanz nochmals und trägt sie ein zweites Mal auf, wobei man feststellt, dass bereits einiges mehr an Flüssigkeit von der aufgerauten Oberfläche aufgesaugt wird. Wieder deckt man die Haut mit nassen Tüchern ab und lässt sie abermals einige Stunden in der Horizontalen ruhen. Man kann sie in diesem Zustand auch zusätzlich mit den Füßen bearbeiten und auf der gesamten Fläche herumlaufen, was hilft, die Flüssigkeit weiter in die Struktur einzuarbeiten.

Dann wiederholt man den oben beschriebenen Prozess des Schabens, wobei man die Haut nun so lange bearbeitet, bis sie fast getrocknet ist. Dafür eignet sich ein sonniger bis halbschattiger Ort mit guter Luftzirkulation oder, falls notwendig, eine zusätzliche Hitzequelle. Immer wieder dehnt und streckt man das Fell mit dem Werkzeug kreuz und quer kräftig in alle Richtungen und raut zwischendurch immer wieder die Oberfläche auf, um ein schnelleres Trocknen zu gewährleisten. Die Ränder müssen besonders bearbeitet werden, da sich hier gerne verhärtende Krusten bilden. Wie beim Weichmachen in der Ledergerbung braucht man nicht pausenlos zu arbeiten, sondern kann das Fell auch zwischendurch antrocknen lassen, um es dann wieder 10–15 Minuten vehement zu bearbeiten. Die Haut wird sich auch nun wieder ausdehnen und kann etwas nachgespannt werden, allerdings nicht stramm

wie eine Trommel, denn zum folgenden Weichmachen soll sie immer etwas nachgeben.

Achtung beim Dehnen und Strecken an dünnen Stellen, bei Messerschnitten oder dort, wo sich die Haut noch leicht steif anfühlt – hier kann die Haut einreißen. Um ein Reißen zu vermeiden, kann man das Werkzeug, statt es senkrecht ziehend anzusetzen, auch in einem spitzen Winkel und dann schiebend führen, um ein Dehnen zu bewirken. Ist die Haut beinahe trocken, fühlt sich aber durch die verbleibende Restfeuchtigkeit noch kühl an, wird der Rest der Gerbesubstanz aufgetragen und der Prozess ein weiteres Mal wiederholt. Einweichen, ruhen lassen, überschüssige Flüssigkeit ausschaben, antrocknen lassen, schaben, trocknen lassen, schaben usw. Insgesamt sollte ein dreimaliges Einweichen für Felle bis Hirschgröße ausreichen.

DAS WEICHMACHEN UND NÄHEN DER LÖCHER

Nach dem letzten Einweichen und vor dem schlussendlichen Weichmachen gilt es, eventuell vorhandene Löcher zuzunähen. Dazu verbleibt die Haut im Rahmen. Größere Löcher, welche sich nicht beim Nähen zuziehen lassen, müssen offen verbleiben und können später, wenn das Fell fertig bearbeitet ist, mit einem passenden Flicken versehen werden. Die Vorgehensweise beim Nähen ist grundsätzlich dieselbe, wie in der Lederherstellung beschrieben.

Auch für das Weichmachen nach dem letzten Einweichen verbleibt das Fell im Rahmen. Das Weichmachen erfolgt, wie im vorherigen Absatz beschrieben, durch

flächendeckendes, kraftvolles Dehnen und Strecken mit Hilfe des Schabers. Alternativ zum einhändig geführten Schaber kann auch ein zweiter konstruiert werden, welcher einen ausreichend langen Stiel besitzt, um mit beiden Händen und somit kraftvoller geführt zu werden.

Beim Weichmachen ist eine scharfe und schneidende Kante nicht mehr notwendig und gelegentlich sogar gefährlich. Daher stumpft man die Klinge seines Schabers entweder ab oder man baut einen weiteren Schaber, welcher nur für das Weichmachen von Fellen verwendet wird. Besonders gegen Ende des Weichmachens hin, wenn die Haut bereits weitgehend getrocknet ist, besteht die Gefahr, dass sie durch zu großen Druck einreißt, andererseits ist einiges an Kraft notwendig, um sie ausreichend zu dehnen. Diese Gratwanderung kann besonders bei dünneren Häuten eine Herausforderung darstellen.

Ein Fell wird überdies nie ganz so geschmeidig werden wie ein Leder, da die Oberhaut beim Fell intakt bleibt und dies eine vergleichbare Dehnbarkeit behindert. Allerdings wird die Oberhaut in ihrer Struktur etwas aufgebrochen, was sich ganz zu Ende des Weichmachens, während der kraftvollen Führung des Schabers, akustisch als eine Art Knirschen oder Knistern bemerkbar machen kann. Dies ist ein Geräusch, auf das der Gerber wartet. Es ist ein Anzeichen dafür, dass die Haut nun trocken und gut durchgearbeitet ist. Lässt sich nämlich auf der gesamten Oberfläche beim Schaben das ominöse Knistern hören, ist die Arbeit vollbracht. Sollte das Fell am Ende des Weichmachens zwar trocken, aber nicht geschmeidig genug sein, so kann der Prozess des Einweichens und Weichmachens auch noch ein weiteres Mal wiederholt werden, bis der gewünschte Effekt eintritt.

Ganz am Schluss kann man die Fleischseite noch mit grobem Schmirgelpapier gleichmäßig überarbeiten, um alle noch anhaftenden Gewebsreste und Unebenheiten zu entfernen. Die Haarseite kann gekämmt oder gebürstet werden. Schluss-

Dehnen und Strecken des Fells während des Weichmachens

Zum Weichmachen kann man auch beidhändig geführte Schaber einsetzen. Ein Spaten mit gerundetem Blatt ist ein ideales Werkzeug. Der T-förmige Griff lässt sich an der Schulter ansetzen, wodurch man mehr Druck ausüben kann und die Arme entlastet.

Wie beim Leder bedürfen auch hier die Ränder besonderer Aufmerksamkeit, da sich hier gerne Krusten bilden und ein Dehnen erschwert ist. Vorsicht mit scharfen Schabern, damit man nicht die Spannschnüre durchtrennt.

endlich wird das Fell aus dem Rahmen genommen. Dazu schneidet man es entweder entlang des Randes aus dem Rahmen heraus, sodass die etwas steiferen Spannlöcher im Rahmen verbleiben oder man löst die Schnüre und belässt den gesamten Rand intakt.

DAS RÄUCHERN VON FELLEN

Das Räuchern von Fellen folgt den gleichen Prinzipien wie beim Leder. Das Zusammennähen ist etwas aufwändiger, da das Vorhandensein der Haare den Prozess etwas erschweren kann. Der einzige Unterschied zum Leder ist, dass natürlich nur auf der Fleischseite geräuchert wird. Der Rauch dringt deswegen auch nicht so weit durch die Hautstruktur vor, deswegen empfiehlt sich ein nachfolgendes Waschen nicht. Grundsätzlich brauchen Felle, welche innerhalb des Hauses verwendet werden oder bei denen keine Gefahr besteht, dass die Fleischseite nass wird, auch gar nicht geräuchert werden. Andererseits wirkt sich ein Räuchern abschreckend auf Insektenbefall durch Motten und Pelzkäfer aus, schreckt diese bei suboptimaler Lagerung der Felle jedoch nicht dauerhaft ab.

Gelegentlich kann ein großes Fell zum Weichmachen am Ende auch aus dem Rahmen genommen werden und über das Seil gezogen werden.

GERBEN VON PELZEN

In Bezug auf das Gerben von Pelzen sollten zuerst die Kapitel zur „Lederherstellung", S. 40 ff., und zum „Bearbeiten von Fellen", S. 83 ff., durchgelesen und verinnerlicht werden, da viele notwendige Arbeitsschritte dort bereits im Detail beschrieben sind.

In diesem Abschnitt werden daher nur Vorgänge behandelt, welche zusätzlich für das Bearbeiten von Pelzen gelten.

Zu den Pelztieren zählen hierzulande hauptsächlich Raubhaarwild, wie Fuchs, Waschbär, Marder, Dachs, Iltis, aber auch Nager, wie Hasen, Biber, Bisamratte und Nutria. Biber und Dachs haben sehr dicke Häute im Verhältnis zu ihrer Körpergröße. Biberpelze müssen daher im getrockneten Zustand, wie im Kapitel „Gerben von Fellen", S. 89 ff., beschrieben, vor dem Gerben oft erst dünngeschabt werden. Beim Dachs ist dies leider nicht möglich, da seine Hautstruktur der des Schweins ähnelt und daher auch als Schwarte bezeichnet wird. Die Haarwurzeln stecken beim Dachs sehr tief in der Haut und ein Ausdünnen der Fleischseite würde diese durchtrennen und zu Haarverlust führen.

Ausdünnen im Kopfbereich eines großen, getrockneten Biberpelzes

Das Gerben von Dachsschwarten nach der hier beschriebenen Methode ist daher sehr aufwändig und führt nie zu einem wirklich weichen und geschmeidigen Produkt.

ÜBRIGENS! Rauchware zurichten

Feine, unbearbeitete Pelze und Felle werden im Fachjargon des Kürschners auch als „Rauchware" bezeichnet, was seinen Ursprung in „rau" oder „roh" findet und nichts damit zu tun hat, dass Pelze geräuchert wurden. Außerdem spricht man beim Präparieren von Pelzen und teilweise auch bei Fellen vom „Zurichten" statt vom Gerben.

DAS WASCHEN

Ein Waschen der frischen Pelze ist nicht unbedingt notwendig, empfiehlt sich aber, wenn diese stark verunreinigt sind. Außerdem weisen einige Tierarten, wie z. B. Marder, Iltis und Dachs sowie männliche Füchse während der Ranz (Paarungszeit), einen recht strengen Körpergeruch auf. Dieser verschwindet auch nach dem Gerben nicht und würde dem Pelz auf Dauer anhaften. Die Zugabe von ätherischen Ölen zur Gerbelösung und ein abschließendes Räuchern können dabei zwar in gewissem Masse Abhilfe schaffen, aber in solchen Fällen ist ein ordentliches Waschen vor der Gerbung ratsam.

Dazu verwendet man handwarmes Wasser unter Zugabe von fettlösenden Mitteln, wie z. B. Geschirrspül- oder Waschmittel. Der Geruch sitzt größtenteils im Körperfett des Tieres, daher muss dieses gründlich aus dem Pelz und der Haut herausgewaschen werden.

Dazu ist ein mehrmaliger Spülvorgang, jeweils mit frischem, warmem Wasser, notwendig. Gewaschen wird in einem entsprechend großen Eimer, in dem der Pelz eingeweicht, geschwenkt, geknetet und gestreckt wird. Das Waschen kann vor dem Entfleischen, aber besser noch danach vorgenommen werden.

DAS ENTFLEISCHEN

Das Entfleischen der Pelze folgt den Prinzipien, wie bei der Lederherstellung beschrieben. Es kann sogar das gleiche Werkzeug, das Schälmesser, verwendet werden. Die Pelze größerer Tiere, wie Fuchs, Dachs oder Waschbär, werden auf dem Gerbebock geschabt. Wurde der Pelz nach der Mantelmethode, also offen, abgezogen, kann man ein Handtuch zwischen Bock und Pelz platzieren, um das Haarkleid zu schonen. Besonders das Entfleischen der Beine sowie des Kopfes ist sehr zeitaufwändig. Rund um Ohren, Augen

und Lefzen wird man gelegentlich auch ein Messer zu Hilfe nehmen müssen, um Gewebereste zu entfernen. Das Entfleischen muss sehr gewissenhaft durchgeführt werden, schließlich ist die Qualität des fertigen Produkts davon in hohem Maße abhängig. Außerdem gilt es, große Vorsicht bei besonders dünnen Pelzen walten zu lassen, die vom Schaber leicht beschädigt werden können. Besonders die Bauchgegend von Füchsen ist sehr zart. Biber und Dachs hingegen weisen eine durchwegs robuste und dichte Hautstruktur auf.

Hat man vor, öfters Pelze zu gerben, lohnt es sich, einen gesonderten kleineren Bock dafür zu bauen. Dieser hat grundsätzlich die gleiche Form und Eigenschaft wie der große Gerberbaum, wird aber wegen seiner geringeren Größe auf ein Gestell montiert, bei dem man im Sitzen arbeitet. Sein oberes Ende wird rundlich angespitzt, somit lässt sich der Pelz mittels eines Rings aus gewundenem Seil oder Weidengeflecht fixieren.

Kleinere Tiere, wie Marder oder Iltis, können aber auch auf dem Boden geschabt werden, wobei man entweder nur ein Brett oder auch eine umgekehrte Holzschale oder Ähnliches als Unterlage verwendet. Fixiert werden die kleinen Pelze beim Schaben mit einem Nagel durch die Nase oder aber auch nur mit dem Fuß des Gerbers. Oft reicht für das Schaben auch ein

Entfleischen eines Fuchspelzes am kleinen Bock mit dem Ziehmesser

entsprechend großes Messer. Manche Tiere besitzen eine Haut, welche besonders im Winter sehr viel Fett enthält. Während des Entfleischens gilt es zusätzlich, so viel wie möglich davon herauszuschaben.

Der kleine Gerberbock. Die Arbeitsfläche ist leicht abgerundet. Das Gestell muss stabil konstruiert sein und darf beim Arbeiten nicht wackeln.

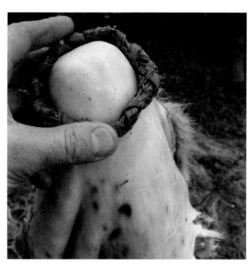

Mit einem derartigen Ring wird der Pelz zum Schaben auf dem Bock fixiert. Dieser ist aus Weidenrinde gewunden.

DAS NÄHEN DER LÖCHER

Befinden sich Löcher in den Pelzen, so werden diese nach dem Entfleischen zugenäht. Selbst große Löcher sind danach von der Haarseite nicht mehr zu sehen.

Kleinere Löcher hingegen brauchen nicht unbedingt genäht zu werden, da sie wegen des dichten Haarkleids ohnehin nicht auffallen.

DAS EINARBEITEN DER GERBESUBSTANZ

Das Einarbeiten der Gerbesubstanz erfolgt, wie bei den Fellen auch, nur von der Fleischseite.

Arbeitet man mit Hirn, empfehlen sich etwa 200 Gramm Hirn für die Pelze von Fuchs, Dachs oder Waschbär zu verwenden und entsprechend weniger für kleinere Tiere. Ansonsten mischt man sechs Eigelbe mit ein bis zwei Esslöffeln Öl und zwei Esslöffeln geriebener Seife für die großen Pelze und entsprechend weniger für die kleinen.

Gerbt man z. B. ein Fuchsfell, löst man alle Zutaten in etwa 1/3 Liter warmem Wasser auf. Bearbeitet man sehr fettige Häute, sollte man die zusätzliche Verwendung von Öl auf ein Minimum reduzieren bzw. ganz darauf verzichten.

Die Mischung wird nun von Hand in die Fleischseite einmassiert, bei zuvor getrockneten Pelzen so lange, bis die Haut wieder flexibel ist. Danach legt man ein feuchtes, warmes Tuch darüber und rollt den Pelz zusammen. Nun lässt man die Lösung mehrere Stunden oder über Nacht einwirken. Dazu kann der Pelz in einer Wanne oder einer Plastiktüte gelagert sein. Danach entfernt man die überschüssige Flüssigkeit z. B. mit einem Tuch und beginnt, den Pelz von Hand zu dehnen und zu strecken. Auch hier ist sonniges, warmes Wetter oder eine Hitzequelle gefragt. Beginnt der Pelz dann etwas zu trocknen, trägt man die Gerbemischung ein zweites Mal auf und verfährt wie zuvor, dabei reduziert man die Einwirkzeit auf etwa 20–30 Minuten. Für Fuchs oder Hasenpelze genügen gewöhnlich drei solcher Durchgänge. Tiere mit dickerer Haut, wie Dachs, Waschbär und auch Marder, benötigen dagegen vier bis fünf Durchgänge.

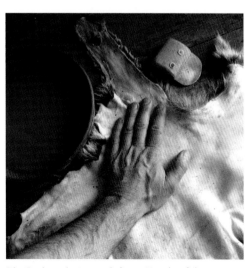

Die Gerbesubstanz wird von Hand auf der ganzen Fleischseite verteilt und eingerieben.

DAS WEICHMACHEN

Nach dem letzten Einweichen mit der Gerbelösung wird die Haut bis zum völligen Trocknen kontinuierlich bearbeitet. Hierbei kommen auch wieder das Seil und der Pfahl zum Einsatz, wie bereits bei der „Lederherstellung", S. 65 ff., beschrieben. Vorsicht ist bei dünnen Pelzen geboten, wie z. B. beim Fuchs. Denn besonders die sehr empfindliche Haut am Bauch kann bei zu aggressiver Behandlung sehr leicht reißen. Es ist möglich, dass bei den Pelzen von Waschbär und Dachs während der Arbeit am Pfahl und Seil Haare durch die Fleischseite herausgezogen werden. Dies ist nicht weiter schlimm, denn Dutzende von Haaren können auf diese Weise verloren gehen, ohne dass es am fertigen Pelz auffällt. Besondere Aufmerksamkeit ist den Läufen, dem Schwanz und dem Kopf zu widmen. Deren Bearbeitung ist aufwändig, da sie entweder sehr kleinteilig sind oder wegen unterschiedlicher Hautbeschaffenheit rund um Ohren, Lefzen und dergleichen besonders viel Arbeit oder Vorsicht erfordern. In der Regel wird die Kopfhaut und eventuell auch der Nacken etwas steifer bleiben als der Rest des Pelzes, was daran liegt, dass die Haut dort sehr dick und fest ist.

Bei Pelzen, welche nach der Schlauchmethode abgezogen wurden, tendieren die Läufe während der Bearbeitung dazu, unnatürlich lang und schmal zu werden. Es kann dadurch Abhilfe geschaffen werden, indem man den Stiel eines Kochlöffels oder

Weichmachen am Pfahl. In geschlossenen Räumen ist eine zusätzliche Wärmequelle notwendig, um das Trocknen voranzutreiben.

Die Schwänze von Tieren, wie Fuchs, Marder oder Waschbär, erfordern besondere Aufmerksamkeit und müssen ebenfalls gut gefettet sein, damit sie nicht steif und brüchig werden. Dieser Schwanz eines Waschbären wurde so gegerbt, dass er flach und offen liegt.

einen anderen passenden Gegenstand von innen in die Läufe einführt, um die Haut auf diese Weise in die Breite zu dehnen.

Fühlt sich das Haarkleid des Pelzes nach der Beendigung des Gerbens etwas fettig an, weil trotz aller Vorsicht etwas von der Gerbelösung ins Haarkleid gesickert ist, kann die Haarseite mit einem Lumpen und Alkohol abgerieben werden. Eine weitere Methode, die Haarseite zu reinigen und aufzulockern, besteht darin, einen Kochtopf voll Sägespäne auf dem Herd zu erwärmen und diese mitsamt dem Pelz in eine Plastiktüte zu geben.

Darin wird der Pelz gut durchgewalkt und geschüttelt, wobei die Späne das überschüssige Fett aufnehmen. Danach entnimmt man den Pelz, schüttelt ihn gründlich aus und bürstet ihn ordentlich durch.

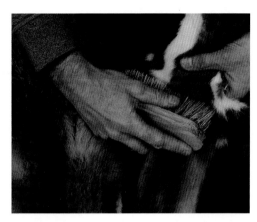

Das Durchkämmen und Reinigen der Pelze mit einer Bürste

DAS RÄUCHERN

Wie bereits beim Gerben von Fellen erwähnt, müssen auch Pelze nicht unbedingt geräuchert werden. Außerdem ist das Zusammennähen von kompletten Pelzen mit Kopf und Läufen natürlich noch aufwändiger als bei Fellen und besonders bei kleinen Tieren nicht wirklich praktikabel. Wer dies aber dennoch tun möchte, verfahre grundsätzlich, wie ab S. 98 beschrieben. Die Läufe werden dabei aber eher außerhalb des Räuchersacks verbleiben und keinen Rauch abbekommen. Wie bei den Fellen wird natürlich auch nur von der Fleischseite geräuchert. Auch ist es nicht ratsam, die Pelze nach dem Gerben und Räuchern einer Waschung zu unterziehen, da ein automatisches Weichbleiben der kaum geräucherten Extremitäten und des Kopfbereichs nach dem Trocknen nicht garantiert ist.

Ein geschlossen gegerbter Fuchspelz beim Räuchern, mit einer Schnur am Vordach aufgehängt, der Schwanz muss vom Feuer ferngehalten werden, Zum Räuchern dient getrockneter Schafsdung.

NACH SELBSTGEGERBT KOMMT SELBST NÄHEN – LEDER, FELLE UND PELZE WEITERVERARBEITEN

ALLGEMEINES

Wer nun glücklicher und stolzer Besitzer seines ersten erfolgreich gegerbten Leders, Fells oder Pelzes ist, der mag sich, nachdem die erste Euphorie etwas abgeebbt ist, fragen, was er nun damit anfangen soll.

Felle und Pelze sind an sich schon wunderschöne Gebrauchsgegenstände und kommen wunderbar auch ohne weitere Bearbeitung zur Geltung. Auf dem Sofa liegend oder an der Wand hängend, kann man sie bewundern, immer wieder anfassen und streicheln. Aber mit dem Gerben ist das Ende der Fahnenstange des Machbaren noch nicht erreicht. Wenn man möchte, geht die Herausforderung weiter!

Nicht umsonst ist die Kürschnerei traditionell als so genanntes „Vollhandwerk" bekannt. Das bedeutet, dass eine Person das gesamte Wissen besitzt, um von der Handhabung der Rohware bis zum fertigen, nutzbaren Produkt alle Arbeitsschritte ausführen zu können. Im folgenden Kapitel werden also einige Schneider- und Nähprojekte vorgestellt, welche Lust auf mehr machen sollen. Denn das ultimative Ziel ist es natürlich, mit den selbst gegerbten und selbst gefertigten Mokassins eines Morgens ins Büro zu spazieren oder mit der Fuchspelzmütze auf der Skipiste zu erscheinen.

Vorgestellt werden Projekte, welche sich jeweils aus einem einzigen fertigen Leder, einem Fell oder einem Pelz herstellen lassen. Einige Arbeiten sind mit relativ geringem Arbeitsaufwand verbunden, wie z. B. die „Schamanen-Haube", andere hingegen erfordern deutlich mehr Einsatz und Fingerfertigkeit, wie etwa die ledernen Handschuhe. Somit sollten sich hier sowohl für den Einsteiger als auch den alten Hasen auf dem Gebiet des Schneiderns interessante Anleitungen finden.

Man sollte allerdings zumindest ein wenig Erfahrung im Handarbeiten und Nähen mitbringen oder ansonsten entsprechend mehr Zeit und Geduld mit einberechnen.

Alle Projekte sind für das Nähen mit der Hand ausgelegt. Genäht werden können aber fast alle Leder, Felle und Pelze, außer den dicksten Lagen, auch mit einer gewöhnlichen Haushaltsnähmaschine und einer Universalnähnadel. Der alte Handwerker-Grundsatz „Zweimal messen, einmal schneiden" gilt auch hier, denn ein mit viel Fleiß und Arbeit gegerbtes Leder und Fell möchte man nicht unnötig ruinieren. Daher lohnt es sich auch für fast alle Projekte, erst ein Model aus Stoff zu fertigen.

Anschließend werden die im folgenden Teil erwähnten Werkzeuge beschrieben:

Ahle: Besonders für dickes Leder oder beim Nähen mit Lederriemen wird eine so genannte Näh- oder Stechahle zum Vorstechen der Löcher benötigt. Diese Ahlen sollten eine runde Spitze besitzen und keine dreieckige mit scharfen Kanten, da sie das Material lediglich auseinanderschieben und nicht schneiden sollen.

Nadeln: Gewöhnliche Nähnadeln, wie für das Nähen von Stoff, eignen sich am besten. Eine Nadel der Stärke 0,7 mm x 40 mm sollte für fast alle Nahprojekte ausreichen. Es sind keine speziellen Leder-Nähnadeln notwendig, denn diese besitzen dreikantige, scharfe Spitzen, welche zu große Löcher in die Häute schneiden.

Fingerhut: Beim Nähen von dicken Lagen ist ein passender Fingerhut notwendig, um den Finger vor Verletzung zu schützen. Alternativ kann man den Finger aber auch mit einem Stück Leder umwickeln oder sich einen Fingerling aus Leder nähen.

Spitzzange: Eine kleine, gut in der Hand liegende Spitzzange mit Riefen in den flachen Backen kann zur Führung der Nadel dienen und anstelle eines Fingerhutes

verwendet werden. Ihre Handhabung erfordert etwas Übung, aber beim Nähen dickerer Lagen ist sie unschlagbar.

Schere: Zum Schneiden von Leder bedarf es einer guten, scharfen Stoffschere.

Messer: Pelze und Felle werden nicht mit einer Schere, sondern mit einem scharfen Messer, einer Rasierklinge oder einem Teppichmesser geschnitten.

Nähgarn: Für das Nähen ist festes, strapazierbares Garn notwendig. Als ideal erweist sich so genannte „Kunstsehne". Dies ist ein synthetisches Material, welches sich auf Fadenstärke von gewünschter Dicke aufspleißen lässt. Statt eines Vernähens oder Knotens am Ende des Fadens kann dieses Material mit Hitze (Feuerzeug) zu einer winzigen Kugel geschmolzen werden, um ein Durchrutschen des Garns zu verhindern. Vernähen des Fadens zu Beginn und Ende bzw. das Anschmelzen eines kleinen Knubbels mit Hilfe eines Feuerzeuges bereits zu Beginn und auch am Ende des Nähvorgangs ist nötig. Etwa 4–5 mm des Fadens stehen lassen und bis an das Werkstück heran anschmelzen und eventuell mit den Fingern vorsichtig etwas andrücken. Doch gleich einem aufgesetzten Knoten sollte das angeschmolzene Ende aus ästhetischen Gründen auf der Innen- bzw. blickabgewandten Seite des Werkstücks platziert werden. Selbstverständlich können auch stabile Baumwoll- oder Leinengarne verwendet werden.

Lederriemen: Diese werden mit einer Schere aus dem eigenen Leder geschnitten. Vorsicht bei Schwachstellen, Messerschnitten und variierender Stärke des Leders. Hier gilt es, die Schnittbreite anzupassen, um einen gleichbleibend stabilen Riemen zu erhalten. Nach dem Schneiden muss man den Riemen durch kräftiges Strecken dehnen, wodurch seine Flexibilität verringert und gleichzeitig die Reißfestigkeit geprüft wird. Ein Ende des Riemens lässt man auf einer Länge von etwa 2 Zentimetern spitz zulaufen. Diese Spitze wird etwas angefeuchtet und zwischen den Fingern zu einer Arbeitsspitze gezwirbelt. Somit lässt sich der Riemen nach dem Trocknen gut durch die vorgestoßenen Löcher führen.

Maßband: Ein flexibles Maßband wird für die meisten Arbeiten benötigt. Ein Lineal von 30 Zentimetern Länge ist ebenfalls hilfreich.

Karton/Stoff: Dünner Karton zum Erstellen von Schablonen wird gebraucht. Gelegentlich ist es auch ratsam, einen festen Stoff, z. B. von alten Jeans, parat zu haben, um zuerst ein Probestück aus Stoff zu fertigen. Somit lässt sich erkennen, wo an der Schablone Anpassungen und Änderungen

notwendig sind. Dies ist immer besser als wertvolles Leder oder Fell zuzuschneiden, um erst danach festzustellen, dass etwas zu kurz oder zu klein ist.

Stecknadeln: Gelegentlich können Stecknadeln gute Dienste leisten, um einzelne Teile vor dem Nähen probehalber zusammenzuheften.

Anzeichenstifte: Für das Anzeichnen auf gegerbter Haut sind zwar Kugelschreiber und feine Filzstifte sehr effektiv und hinterlassen deutlich sichtbare Markierungen, aber diese lassen sich dann nicht mehr entfernen. Wenn man sie dennoch verwenden möchte, sollte man darauf achten, innerhalb der Markierungen zu schneiden, damit diese dann auf dem Restmaterial verbleiben und nicht auf dem Werkstück. Ansonsten kann ein weicher Bleistift oder auch spezielle Schneiderkreide verwendet werden.

Arbeitsunterlage: Es bedarf einer ebenen, sauberen und gegebenenfalls schnittfesten Arbeitsunterlage aus Holz oder Kunststoff.

LEDERPROJEKTE

Das Arbeiten mit weichem Leder, welches mit der hier beschriebenen Methode hergestellt wurde, unterscheidet sich in einigen Punkten von dem Nähen von Stoff und auch von kommerziell gefertigter Lederware. Jede einzelne Haut ist unterschiedlich, was Größe, Dicke und eventuell den Grad der Geschmeidigkeit anbelangt. Die Leder bewahren ihre natürlichen Variationen, was

die Stärke betrifft. Industriell gegerbte Häute werden gespalten oder zumindest egalisiert, d. h. an dicken Stellen ausgedünnt, was bedeutet, dass sie nahezu durchwegs auf eine gleichbleibende Stärke reduziert sind, ähnlich einem Stoff. Grundsätzlich ist unser Material an den Flanken sehr dünn und dehnbar und liegt oft auch nicht vollständig flach. Der Nacken hingegen ist ge-

Mokassins im Stil der östlichen Waldlandindianer

nerell sehr dick und fest, gelegentlich aber auch grobfaserig und locker. Eine Ausnahme ist z. B. der Damhirsch, bei dem die Nackengegend recht dünn ausfällt. Die Hinterbacken am Rumpfende bestehen ebenfalls aus dickem und festerem Material. All diese Faktoren gilt es, bei der Auswahl der Leder und vor dem Zuschneiden zu beachten.

Gegenüber Stoff hat Leder den Vorteil, dass die Ränder nicht umsäumt werden müssen, um ein Ausfransen zu vermeiden. Andererseits können sich solche Ränder aber auf Dauer strecken und wellig werden. Grundsätzlich verhält sich Leder eine wenig wie Stretch-Stoff, der sich zwar etwas dehnt, aber schlussendlich wieder in seine Ausgangsform zurückwill. Im Allgemeinen passt sich Leder nach längerem Tragen aber ideal der Körperform an, was man sich z. B. bei den hier vorgestellten Mokassins zunutze macht. Außerdem sind die Fasern von selbstgegerbtem Leder sehr reißfest, da sie nicht durch aggressive Chemie geschwächt wurden, somit können Stiche sehr nah an den Rand gesetzt werden.

Verschiedene Ahlen und eine gute Schere sind für Lederarbeiten unerlässlich.

Aus einem durchschnittlich großen Damhirschleder lassen sich sowohl ein Paar Mokassins sowie ein Paar Handschuhe fertigen und es bleiben noch genügend Reste für andere kleine Projekte, wie Täschchen, Beutel und Riemen, übrig.

MOKASSINS IM TRADITIONELLEN STIL DER NORDAMERIKANISCHEN WALDLANDINDIANER

Derartige Fußbekleidung ist besonders weich und anschmiegsam, eine regelrechte Art „Lederstrumpf". Die Mokassins eignen sich besonders als Hausschuhe, aber auch für ein Laufen auf Wiesen und im Wald. Bei diesem Schuhwerk bestehen Oberleder und Sohle aus einem einzigen Stück Leder. Ein weiteres Stück Leder kann nach Fertigstellung der Schuhe als zusätzliche Sohle aufgenäht werden, um die Haltbarkeit zu erhöhen. Bei dieser Sorte Schuh

bedarf es nur einer einzigen Schablone, da zweimal der gleiche Schuh hergestellt wird. Erst durch das Tragen ergibt sich nach einiger Zeit ein passgenauer Unterschied zwischen links und rechts.

Besonders eignet sich hierfür mittelstarkes Leder.

Die Schablone

Benötigt wird ein ausreichend großes Stück Pappkarton, um die Schablone zu erstellen.

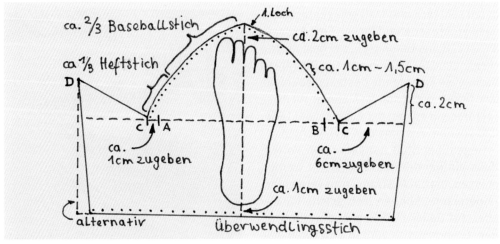

Schnittmuster für Waldlandindianer-Mokassins

Die Arbeitsschritte dafür sind wie folgt:

1. Auf der Pappe wird als erstes eine senkrechte Mittellinie angezeichnet, die Spiegelachse. Darauf wird der Fuß der Länge nach mittig platziert und dessen Umriss aufgezeichnet.

2. Nun misst man mit dem Maßband den Umfang des Fußes am Span, der dicksten Stelle des Fußes direkt am Knöchel.

3. Als Nächstes ermittelt man die Mitte des Fußes und zeichnet diesen Punkt auf der Spiegelachse ein. Von diesem Punkt zieht man eine waagerechte Linie im rechten Winkel zur Spiegelachse. Auf dieser Linie markiert man dann mittig den Fußumfang (A–B) und gibt auf beiden Seiten jeweils noch etwa 1 Zentimeter für die Naht hinzu (Punkt C) sowie weitere 6 Zentimeter für die überhängenden Seiten des Schuhs, welche später umgeschlagen werden.

4. An der Ferse wird ebenfalls etwa 1 Zentimeter hinzugegeben, bevor man hier auch eine Linie parallel zur Strecke A–B einzeichnet. Diese verbindet man jeweils am Ende im rechten Winkel und somit parallel zur Spiegelachse mit der verlängerten Linie A–B und geht noch ca. 2 Zentimeter darüber hinaus. Das ergibt Punkt D. Diese Linie stellt die Außenkante der Seitenteile dar. Nun verbindet man Punkt C und D.

5. Als Letztes werden an der Spiegelachse oberhalb der Zehen 2 Zentimeter hinzugefügt und von diesem Punkt aus eine geschwungene Linie Richtung Punkt C geführt.

Die genaue Form der Wölbung hat mit dem individuellen Fuß zu tun und kann nicht genau angegeben werden. Ist die Wölbung zu flach, wird der Schuh zu eng. Daher ist es ratsam, lieber etwas mehr Material stehen zu lassen und eventuell während des Nähens Anpassungen vorzunehmen. Alle

Anpassungen gilt es dann auch, auf die Schablone zu übertragen, damit es beim zweiten Schuh sowie bei allen folgenden, welche man eventuell noch machen möchte, wieder stimmt. Die Schablone ist nun fertig und wird ausgeschnitten.

Die Schablone platzieren und das Leder schneiden

Gewöhnlich bildet die glattere Narbenseite (Haarseite) bei Lederprodukten die Außenseite und die Fleischseite ist dem Träger zugewandt. Entsprechend wird das Muster nun auf die Haut platziert und dort zweimal abgezeichnet. Hierbei orientiert man sich idealerweise an der langen Mittellinie der Haut, dem Rückgrat. Wichtig ist, dass man die Schablone jeweils links und rechts davon auf gleicher Höhe anlegt, um, was Dicke und Dehnbarkeit angeht, zwei möglichst gleiche Stücke Leder zu erhalten. Denn nichts ist unangenehmer als mit Mokassins herumzulaufen, von denen einer dicklederig und steif und der andere dünn und schlabberig ist.

Das Nähen

Genäht wird mit Lederriemen, welche jeweils etwa 25 cm lang sein sollten. Alle Löcher werden mit der Ahle vorgestoßen und sollten etwa 1 Zentimeter auseinanderliegen Bei dickerem Leder kann es etwas mehr Abstand sein und bei dünnem entsprechend weniger. Man kann die Löcher vorher anzeichnen oder sich auf sein Augenmaß verlassen. Da das Leder sehr reißfest ist, dürfen die Löcher sehr nah am Rand platziert werden. Wer unsicher ist, sollte an einem Reststück erst einmal einige Probestiche ausführen. Für das Vorstoßen der Löcher werden die Leder entlang der Spiegelachse zusammengefaltet, auf die Arbeitsunterlage gelegt und beide Stärken gleichzeitig mit der Ahle perforiert.

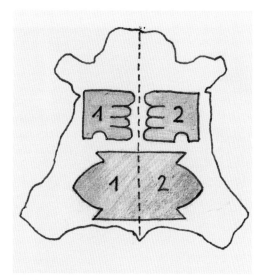

Mögliche Platzierung der Schablonen der Mokassins (unten) und der Handschuhe

Die Löcher der Nähte werden alle mit der Ahle vorgestochen.

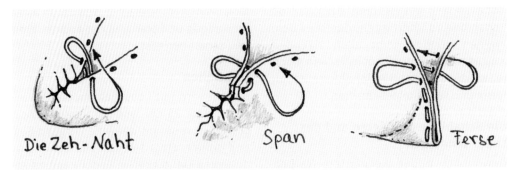

Diagramm zum Nähen von Zeh, Span und Ferse der Mokassins

Während des Nähens wird es allerdings nötig sein, vor dem Durchführen des Riemens das Loch mit der Ahle noch einmal kurz zu weiten. Mit dem Nähen wird an der Fußspitze begonnen, wobei ein einfacher Knoten am Ende des Riemens das Durchrutschen verhindert. Genäht wird von innen nach außen. Das heißt, hat man den Riemen von der Innenseite des Leders durch das erste Loch gezogen, so fädelt man ihn nun wieder von der Innenseite/Fleischseite durch das zweite gegenüberliegende Loch und so weiter. Dadurch ergibt sich die typische geraffte Naht dieses Schuhs. Den Riemen gilt es, dabei immer fest anzuziehen, denn sonst bleibt die geraffte Naht lose und unansehnlich.

Etwas zwei Fingerbreit vor dem Ende der Naht am Spann wechselt man die Stichtechnik und geht zu einem Heftstich über, um die Naht zu beenden. Die Fersennaht wird von unten nach oben in einfacher

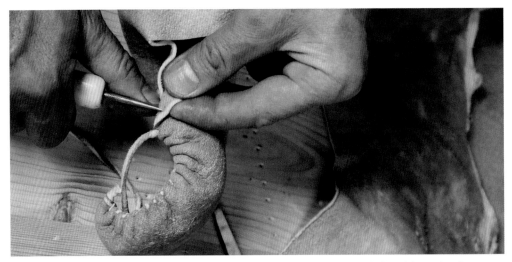

Während des Nähens wird man die vorgestochenen Löcher gelegentlich mit der Ahle nachweiten müssen.

Überwendlingstechnik genäht. Während des Nähens sollte man den Schuh gelegentlich anprobieren und, falls nötig, das Schnittmuster anpassen. Die fertigen Mokassins dürfen zu Beginn ruhig etwas eng erscheinen. Sie weiten sich durch den Gebrauch und passen sich perfekt der Form des Fußes an. Während des Tragens der Schuhe bildet sich außerdem unter der Ferse an der Naht ein kleines, abstehendes Dreieck. Dies kann belassen werden, wie es ist, oder aber man stülpt es nach innen.

DREI-FINGER-HANDSCHUHE

Der so genannte „Drei-Finger-Handschuh" ist bereits seit dem Mittelalter bekannt. Dabei gibt es verschiedene Modelle, so z. B. auch mit separatem Zeigefinger, was auch ein Schießen mit dem Gewehr ermöglicht. Immer handelt es sich aber um ein Mittelding zwischen Fingerhandschuh und Fäustling. Das Modell bietet dadurch eine bessere Wärmedämmung als der Fingerhandschuh und gleichzeitig eine höhere Bewegungsfreiheit als der Fäustling.

Bei der hier vorgestellten Variante werden Zeigefinger und Mittelfinger sowie Ringfinger und kleiner Finger separat un-

Zwei Paare Handschuhe.
Rechts im Bild der hier
vorgestellte Typ.

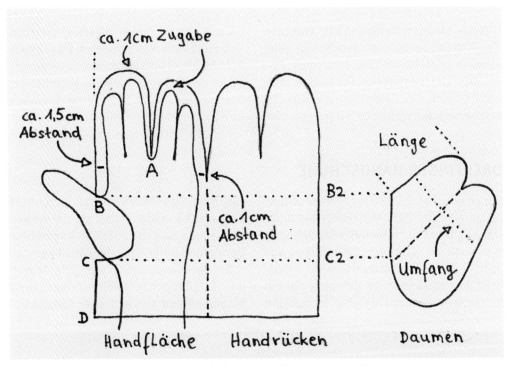

ca. 1cm Zugabe

ca. 1,5 cm Abstand

Länge

A

B2

ca. 1cm Abstand

B

Umfang

C

C2

Daumen

D

Handfläche   Handrücken

Schnittmuster für die Drei-Finger-Handschuhe: Hauptteil und separater Daumen

tergebracht. Die Handschuhe können im Winter zusätzlich mit wollenen Innenhandschuhen getragen werden. Dazu müssen sie natürlich entsprechend größer angefertigt werden. Handschuhe passgenau anzufertigen, ist keine leichte Aufgabe und es empfiehlt sich daher auch in diesem Fall, nach dem Fertigstellen der Schablone zuerst mit Stoff zu experimentieren und daraus resultierende Änderungen auf der Schablone zu übernehmen.

Besonders geeignet für dieses Projekt ist ein mittelstarkes Leder.

Benötigt werden: Pappe, Stoff, Schere, Nadel, Nähgarn, Fingerhut/Spitzzange, Stift, Lineal, Maßband.

Die Schablone für den Hauptteil

Der Handschuh wird aus einem Hauptteil und einem separaten Daumenteil gefertigt. Dazu erstellt man jeweils eine Schablone, welche dann sowohl für die linke als auch für die rechte Hand verwendet wird.

Die Vorgehensweise ist wie folgt:

1. Man platziert eine Hand (im Fall der Zeichnung die rechte) auf den Karton und zwar so, dass der Daumen abgespreizt ist und die zwei Fingerpaare ebenfalls leicht gespreizt werden. Mit dem Bleistift zeichnet man nun den Umriss der Hand ab. Nun markiert man die Punkte A, B und C. Punkt A liegt genau dort, wo Mittel- und Ringfinger an der

Basis zusammentreffen. B befindet sich in der Beuge zwischen Daumen und Zeigefinger und C auf der Stelle wo die Daumenwurzel das Handgelenk trifft.

2. Beachten Sie, dass die Grundform der Schablone ein langgestrecktes Rechteck darstellt. Die parallelen Seiten sollten etwa 1,5 Zentimeter Abstand rechts und links von der Hand haben. Die Bögen für die Finger werden nun freihändig eingezeichnet. Sie treffen sich in Punkt A und sollten an den Fingerspitzen etwa 1 Zentimeter Abstand halten. Die Gesamtlänge des Handschuhs und damit die Entfernung von B nach C ist frei wählbar. Sie sollte allerdings mindestens 4–5 Zentimeter betragen. Erheblich größere Längen von 10–12 Zentimeter bieten die Möglichkeit, das Ende der Handschuhe manschettenartig umzuschlagen.

3. Die Aussparung für den Daumen wird ebenfalls freihändig gezogen und entspricht einem bauchigen, hängenden D.

4. Nun schneidet man das Model der Handfläche bis zur gestrichelten Linie aus, klappt es an dieser Linie um und zeichnet den Umriss, außer der Aussparung für den Daumen, ab.

Die Schablone für den Daumen

1. Die separate Schablone für den Daumen erstellt man, indem man zuerst den Abstand zwischen Punkt B und C überträgt.

2. Dann misst man mit dem Maßband die Länge des Daumens von Punkt B bis über die Kuppe. Nun misst man den Umfang, indem man das Maßband locker um die dickste Stelle des Daumens legt.

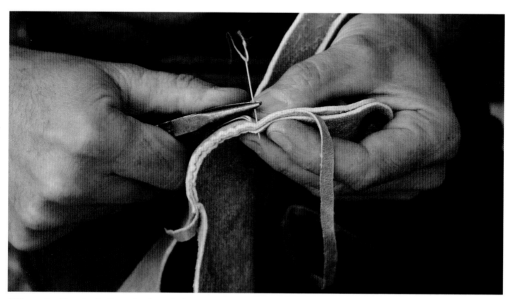

Nähen der Handschuhe mit einer Spitzzange. Die Nadel wird also nicht mit den Fingern gehalten, sondern mit Hilfe der Zange durch das Leder gestochen.

Beide Längen trägt man nun ein. Beide Längen gilt es, großzügig zu bemessen, um für die Naht und einen eventuellen Innenhandschuh Raum zu lassen.

3. Die Wölbungen für die Daumenwurzel und die Daumenkuppe werden freihändig eingezeichnet.

Die Schablone platzieren und das Leder schneiden

Auch hier sollte man die Schablonen so auf der Haut platzieren, dass gewährleistet ist, dass alle Teile aus vergleichbar dickem Leder bestehen. Auch in diesem Fall nutzt man die imaginäre Rückenlinie des Leders als Orientierung. Außerdem darf man nicht vergessen, die Schablonen nach dem ersten Anzeichnen für die eine Hand spiegelverkehrt zu verwenden, um nicht aus Versehen zwei rechte oder zwei linke Handschuhe zu erhalten.

Das Nähen

Die Handschuhe werden gewöhnlich von außen mit dem Heftstich genäht. Soll die Naht jedoch nicht sichtbar und innen verlaufen, der Handschuh also nach der Fertigstellung umgekrempelt werden, so muss er entsprechend größer gefertigt werden. Die Naht kann sehr nahe, etwa 1 Millimeter von der Lederkannte entfernt, gesetzt werden. Es empfiehlt sich, in die Naht einen Verstärkungsstreifen mit einzunähen. Dies ist ein etwa 5 Millimeter breiter Lederstreifen, welcher die Naht stabilisiert und betont. Dieser sollte von mittlerer Stärke und natürlich ausreichend lang sein. Kleinstichiges und gewissenhaftes Nähen ist für die Funktionalität nicht unbedingt notwendig, aber ein ordentliches gleichmäßiges Nähen erhöht den Wert der Arbeit und erntet Lob und Anerkennung. Während des Nähens sollte man den Handschuh immer wieder anprobieren und den Schnitt gegebenenfalls anpassen. Da die Nadel durch drei Lagen geführt werden muss, wird man einen Fingerhut tragen müssen oder aber eine geriefte Spitzzange zur Führung der Nadel hernehmen müssen. Rechtshänder nähen gewöhnlich von rechts nach links, wobei die linke Hand die zu nähenden Hälften samt Verstärkungsstreifen fest zusammenhält und die rechte Hand die Nadel führt.

FELLPROJEKTE

Ein fertig gegerbtes Fell ist an sich schon wunderschön und kann ohne Weiteres als Überwurf für Sofa und Sessel, als Unterlage im Kinderwagen, als Decke, Bettvorleger, Teppich oder Wandbehang genutzt werden. Das Gleiche gilt auch für viele Pelze.

Aber natürlich wurden Felle und Pelze seit Urzeiten rund um den Globus zu den unterschiedlichsten Gebrauchs- und Be-kleidungsstücken weiterverarbeitet, vor allem dort, wo die klimatischen Verhältnisse wärmende Kleidung notwendig machten. Die reichhaltigen kulturellen Hinterlassenschaften in diesem Bereich beweisen das große handwerkliche und künstlerische Geschick der verschiedenen Völker, wenn es gilt, Funktionalität und Ästhetik ideal zu kombinieren. Felle und Pelze der unterschiedlichen Tiere variieren erheblich, was

Schneiden von Fellen und Pelzen erfolgt von der Fleischseite mit einem Messer, um die Haare nicht zu beschädigen.

die Merkmale der Haut sowie die Qualität, Farbe und Beschaffenheit der Haare anbelangt – und das nicht nur in Bezug auf Alter und Geschlecht sowie den Zeitpunkt der Schlachtung, sondern auch innerhalb ein und desselben Fells. Diese natürlichen Unterschiedlichkeiten und Nuancen optimal zu nutzen, ist eine hohe Kunst und stellt Reiz und Herausforderung bei der Arbeit mit diesen Materialien dar.

Die angegebenen Schnittmuster dienen als ein Grundgerüst, welche beim Übertragen auf das Fell einer anderen Tierart gewisse Anpassungen erfordern können. Beim Übertragen der Schablonen auf Fell oder auch auf den Pelz eines Tieres muss einiges beachtet werden. Erst einmal gilt wie beim Leder, dass die Haut an verschiedenen Stellen unterschiedlich dick und dehnbar ist. Der größte Unterschied zu Leder besteht aber im Vorhandensein des natürlichen Haarkleides. Bei der Platzierung der Schablone auf der Fleischseite eines Fells oder Pelzes gilt es also, auf Länge und Färbung sowie insbesondere auf den Verlauf der Haare zu achten. Das Haar

verläuft bei allen Tieren grundsätzlich vom Hinterkopf über die Schultern in Richtung Schwanz. An den Beinen orientiert es sich von der Körpermitte abwärts in Richtung Hufe oder Pfoten. Bei Wolltieren, wie Schaf oder Bison, ist ein Verlauf dagegen kaum bis gar nicht zu erkennen. Im Schulterbereich sitzt häufig ein Wirbel ähnlich wie auf dem menschlichen Kopf, welcher die Haare strahlenförmig in alle Himmelsrichtungen lenkt. Gelegentlich gibt es auch Verwirbelungen am Bauch bzw. im Flankenbereich, wohingegen unter den Beinen, den Achseln, das Haar oft sehr spärlich oder gar nicht vorhanden ist. Diese Verläufe variieren bei den verschiedenen Tierarten und sollten vor der Platzierung der Schablone genau beobachtet werden.

Das Zuschneiden von Fell und Pelz erfordert ebenfalls eine andere Herangehensweise als beim Leder, was ebenfalls an den Haaren liegt. Es kann nur in den seltensten Fällen mit einer Schere geschnitten werden, da dies nicht nur die Haut, sondern eben auch das Haar abtrennen würde und dies zumeist auf eine unkontrollierbare und unansehnliche Weise. Daher ist es notwendig, Felle und Pelze mit einem Messer von der Fleischseite her zu schneiden. Das Messer sollte sehr scharf sein. Rasierklingen eignen sich ebenfalls sehr gut dafür. Zum Schneiden kann das Fell auf eine Unterlage gelegt werden. Dabei muss man aber darauf achten, nicht mit zu viel Druck zu schneiden, um die Haare nicht zwischen Klinge und Unterlage einzuklemmen und mitabzuschneiden. Es gilt also nur, die Lederhaut zu schneiden bzw. zu ritzen und das Haarkleid unbeschädigt zu lassen.

Die fertige Mütze aus Fell vom Damhirsch, in diesem Fall mit der Naht nach vorne getragen

Eine andere Möglichkeit ist es, das Fell oder den Pelz freihändig zu schneiden. Das bedeutet, sie z. B. mit dem Fuß oder dem Knie auf dem Boden zu fixieren, sie mit einer Hand straff zu spannen, um dann mit der anderen Hand die Klinge zu führen. Wer es sich nicht zutraut, auf diese Weise einen ordentlichen Schnitt entlang der vorgezeichneten Linie zu führen, sollte zuerst ein wenig an Reststücken üben.

Genäht werden Felle und Pelze gewöhnlich von der Fleischseite. Dies erfolgt mit einer normalen Haushalts-Nähnadel. Beim Nähen von sehr dünnen Fellen braucht man keinen Fingerhut oder keine Spitzzange zur Nadelführung. Bei stärkerem Material ist dies jedoch notwendig, um die Finger vor Verletzungen zu schützen. Felle und auch Pelze sind oftmals nicht so reißfest wie Leder. Das bedeutet, dass die Nähte etwas weiter von der Schnittkante entfernt ausgeführt werden sollten und man das Garn entsprechend weniger

stramm anziehen darf. Auch hier sollte man einige Probestiche an Reststücken durchführen, um sich bezüglich der Stabilität des verwendeten Fells Klarheit zu verschaffen. Das Nähen erfolgt grundsätzlich von rechts nach links. Bei Linkshändern in die andere Richtung. Das bedeutet, dass mit der rechten Hand die Nadel geführt wird, während die linke das Werkstück an der Naht zusammenhält. Beim fortschreitenden Nähen gilt es gelegentlich, die Haare, welche in die Naht hineinrutschen, mit den Fingern nach außen bzw. unten aus der Naht hinauszustreichen. Dies ist wichtig, um keine Haare miteinzunähen, was zu einer unansehnlichen, struppigen und wulstigen Naht führen würde. Aus diesem Grund empfiehlt es sich auch, wenn möglich, immer mit dem natürlichen Haarverlauf zu nähen und nicht dagegen, denn besonders bei widerspenstigem oder starkem Haar ist das Ausstreichen aus der Naht sonst sehr beschwerlich.

DIE ÖTZI-MÜTZE

1992 wurde in den Alpen die jungsteinzeitliche Gletschermumie „Ötzi" gefunden. Dieser Mann war vollständig in Fell und Leder gekleidet und stellt daher einen reichhaltigen Fundus dar, was die Nutzung von Häuten sowie die Nähtechniken und Schnittmuster während dieser Epoche angeht. Ein Teil der Ausrüstung des Ötzi war eine vollständig erhaltene Mütze aus Bärenfell. Das rudimentäre Schnittmuster ist im Detail überliefert und kann in beliebiger Weise reproduziert werden, wobei man natürlich auch Fell von Hirsch, Schaf oder irgendeinem anderen Tier als

Ausgangsmaterial verwenden kann. Um den Aufwand beim Nähen zu reduzieren, wird hier eine Variation des ursprünglichen Schnittmusters vorgestellt.

Die Schablonen

Die Mütze besteht demnach aus zwei Teilen, dem Hauptteil und dem Abschlussstück. Dafür werden separate Schablonen angefertigt. Alle Maßangaben sind für Erwachsene gedacht.

1. Der Hauptteil wird aus einem einzigen Stück Fell gefertigt. Dabei handelt es

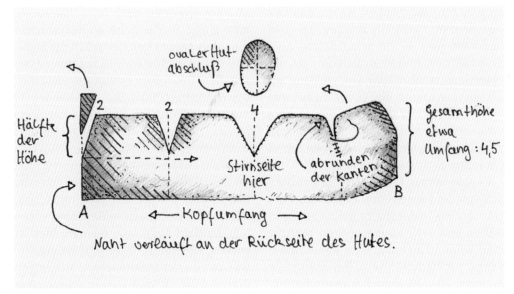

Schnittmuster für die „Ötzi"-Mütze

sich um einen langgestreckten, rechteckigen Streifen, dessen Länge dem Kopfumfang, gemessen in Stirnhöhe oberhalb der Augenbrauen, entspricht, Länge A–B. Beim Original aus Bärenfell waren es zwei Streifen, welche parallel aneinandergenäht waren. Die Höhe des Streifens ergibt sich in etwa dadurch, dass man die Länge durch den Faktor 4,5 teilt. Das heißt, bei 58 Zentimeter Kopfumfang, erhält man eine Höhe von 12,5 Zentimetern.

2. Diese Maße überträgt man nun auf den Karton für die Schablone. Nun ermittelt man die Hälfte der Höhe, trägt sie auf dem Karton ein und zieht auf dieser Höhe eine Linie von einem Ende des Streifens zum anderen.

3. Dann teilt man die gesamte Länge des Streifens durch vier und trägt diese

Maße ein. Dadurch ergibt sich auch die Mitte der Schablone, welche später an der Mütze die Vorder- bzw. die Stirnseite sein wird.

4. Nun gilt es, an der Oberseite der Schablone an den markierten Vierteilungen jeweils einen Keil zu entnehmen. Dies ist notwendig, um den oberen Durchmesser der Mütze zu verringern, damit sie sich später der Wölbung des Kopfes anpasst. Der Keil an der Stirnseite sollte etwa 4 Finger oder etwa 6 Zentimeter breit sein und die Keile an den Seiten und am Hinterkopf etwa 2 Finger breit bzw. 3 Zentimeter. Da die Enden des Hauptstreifens schlussendlich zusammengenäht werden und die Rückseite der Mütze ergeben, wird an dieser Stelle jeweils nur ein halb so großer Keil entfernt.

5. Alle entstandenen Ecken können mit einem leichten Schwung etwas abgerundet werden.

Die Schablone für den Hutabschluss wird erst nach dem Zusammennähen des Hauptteils der Mütze erstellt.

Dazu fertigt man zuerst nach Augenmaß ein entsprechend großes symmetrisches Oval. Dieses führt man dann von innen bis zur oberen Öffnung in den Hut ein. Durch Anzeichnen mit einem Stift kann man nun direkt die passgenaue Größe ermitteln und die Schablone entsprechend zuschneiden.

Beim Arbeiten mit Fell und Pelz gilt es immer, auf den Verlauf des Haars zu achten.

Die Schablone platzieren und das Fell schneiden

Beim Übertragen der Schablone auf das Fell muss man beachten, dass Mützen generell so konzipiert werden, dass die Haare nach unten fallen. Ein seitlicher Schwung ist jedoch ebenfalls denkbar. Für den Hutabschluss eignet sich besonders eine Stelle des Fells, welche einen Wirbel ausweist.

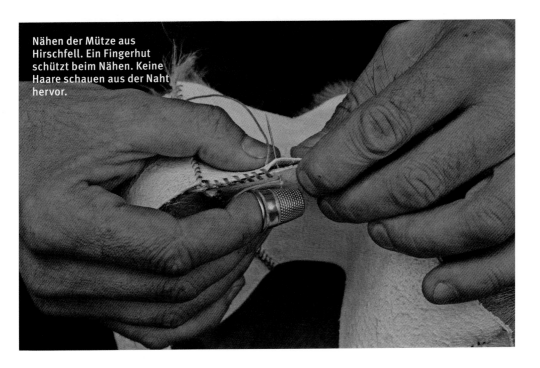

Nähen der Mütze aus Hirschfell. Ein Fingerhut schützt beim Nähen. Keine Haare schauen aus der Naht hervor.

Grundsätzlich sollte man bedenken, einen möglichst gleichmäßigen Abschluss zu erreichen, was den Haarverlauf betrifft, sodass von außen ein natürlicher Eindruck entsteht und keine Nähte sichtbar sind.

Das Nähen

Auch hier empfiehlt sich ein vorheriges Experimentieren an Reststücken. Für die gesamte Mütze wird, wie beim Original, der Überwendlingsstich verwendet. Natürlich ist eine gleichmäßige und feine Naht viel ansehnlicher als eine grob ausgeführte, auch wenn sie beim Tragen der Mütze von außen nicht sichtbar ist.

Ist die Mütze fertig genäht, kann das Haar am unteren Rand naturbelassen werden oder aber mit einer Schere zu einer klaren geraden Linie zugeschnitten werden. Wer möchte, kann die Mütze mit einem Futter aus Stoff versehen.

KAMIK UND MUKLUK

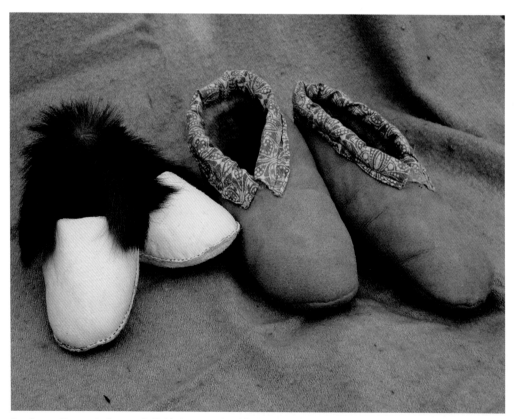

Zwei paar Hausschuhe aus Fell. Links aus Hirschfell, von außen genäht, rechts aus Lammfell, von innen genäht

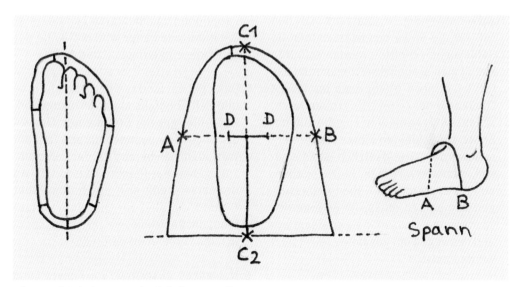

Ein Grund-Schnittmuster für Schuhe aus Fell

Von zirkumpolaren Völkern, wie z. B. den Inuit, ist eine Vielzahl verschiedenster Muster für Fellstiefel und den dazugehörigen Innenschuhen überliefert. Diese wurden hauptsächlich aus Robben- und Karibufellen hergestellt. Variationen dieser traditionellen Modelle können z. B. aus Schaf- und Lammfell oder dem Winterfell von Hirsch oder Reh gefertigt werden. Sie ergeben warme Haus- oder Hüttenschuhe, denn das Fell wird als wärmende Isolierung nach innen getragen.

Das vorgestellte Modell ist ein einfacher Schnitt, der grundsätzlich aus zwei einzelnen Teilen besteht, aber um einen verlängerten Schaft ergänzt werden kann. Dieser lässt sich ebenfalls aus Fell oder aber aus Stoff oder Filz fertigen.

Die Schablone

1. Für die Sohlenschablone stellt man einen Fuß auf ein Stück Karton und zeichnet ihn ab. Zu dieser Grundform wird rundherum etwas Abstand hinzugegeben. Wieviel man an den Seiten dazugibt, hängt stark vom verwendeten Fell bzw. von der Länge und Dichte des Haarkleides ab. Mit den Haaren verhält es sich, als würde man zwei oder drei Paar extra Socken in den Schuhen tragen und entsprechend größer müssen diese sein. Je flacher das Haar anliegt, desto weniger Zugabe ist notwendig und desto mehr kann die Schablone der anatomischen Kontur des Fußes folgen. Man wird also einen rechten und einen linken Schuh herstellen. Bei sehr dickem Haarkleid, wie z. B. bei manchen ungeschorenen Schaffellen oder dem dichten Winterfell vom Reh, welches leicht eine Länge von 4 Zentimetern erreichen kann, wird die Sohle eher die Form eines gleichmäßigen Ovals annehmen und man unterscheidet nicht mehr zwischen links und rechts. Um in etwa abzuschätzen, wie viel Zu-

gabe notwendig ist, platziert man den Fuß auf die Stelle des Fells, an der die Sohle ausgeschnitten werden soll. Nun klappt man probehalber ringsherum das Fell leicht nach oben, etwa bis an die Oberkante der Zehen. Als grober Durchschnittswert kann eine Zugabe von der Breite eines kleinen Fingers angenommen werden. Grundsätzlich ist es sinnvoll, immer etwas mehr hinzuzugeben, denn falls man beim Nähen Anpassungen vornehmen muss, ist es ärgerlich zu erkennen, dass man zu sparsam war und deswegen ein gesamtes Teil ersetzt werden muss.

2. Mit der zusätzlichen Breite wird dann um den Grundriss des Fußes eine zweite Linie angezeichnet. Diese folgt nicht exakt jeder anatomischen Kurve und Windung des Fußes, sondern stellt eher einen generalisierten Umriss dar. Dann trägt man die Mittellinie dieses Grundrisses ein und zwar von der Mitte der Ferse bis dort, wo der große Zeh seinen nächsten Nachbarn trifft. Nun schneidet man die Schablone aus.

3. Für die Schablone des Oberteils platziert man die Sohlenschablone auf ein weiteres, größeres Stück Karton und zeichnet sie dort ab, auch die Mittellinie wird hier eingetragen. Von dieser wird nun die Mitte ermittelt und dort im rechten Winkel eine Querlinie gezeichnet. Auf diese wird der Spann übertragen.

4. Die Länge des Spanns wird direkt am Knöchel gemessen, dort, wo der Fuß ins Bein übergeht. Auch hier kommt es je nach Dichte des Haarkleides zu Längen-

variationen von mehreren Zentimetern. Die ermittelte Länge wird mittig auf der Querlinie eingetragen (Linie A–B).

5. Dann gilt es, für das Oberleder an Ferse und Zeh ebenfalls Material zuzugeben. Auch hier gilt die Breite eines Fingers als ungefähre Richtschnur bzw. als der Wert, den man bereits bei der Sohle hinzugegeben hat (Punkte C1 und C2). An der Ferse ergibt sich durch den Punkt C2 und, parallel zur Querlinie verlaufend, die Basislinie, welche schlussendlich die Fersennaht darstellt.

6. Nun gilt es, ausgehend von Punkt C1 und über die Punkte A und B, freihand eine ausgewogen geschwungene Linie zu ziehen, welche auf der Basislinie endet. Schlussendlich ermittelt man die Punkte D. Sie sollten sich etwa 3–4 Zentimeter vom Mittelpunkt entfernt befinden. Entlang der Linie dazwischen und vom Mittelpunkt hinunter zu C2 wird das Oberteil später aufgeschnitten, um die Öffnung für den Fuß zu ergeben.

Das Platzieren auf dem Fell

Für den Sohlenteil eignen sich natürlich Stellen des Fells, an denen die Haut dick und fest ist, weil hier die Belastung und der Abrieb am größten sind. Die Flussrichtung des Haarkleides, sofern diese eine Rolle spielt, sollte für beide Teile in Richtung der Zehen orientiert sein, da ansonsten ein Hineinschlüpfen in die Schuhe erschwert wird.

Am besten schneidet man erst die Teile für einen Schuh aus und beginnt diesen zu nähen. Falls Änderungen vorgenommen werden müssen, überträgt man diese zuerst auf die Schablone, bevor man die Teile für den zweiten Schuh zuschneidet.

Das Nähen

Da die Passgenauigkeit mit den Schablonen nur näherungsweise ermittelt werden konnte, heftet man Sohle und Oberteil an 5 oder 6 Stellen mit jeweils einem Stich oder Stecknadeln zusammen, wobei der Fersenteil jedoch offenbleibt. Von dort schlüpft man vorsichtig in das Provisorium hinein. Auf diese Weise wird bald klar, wo Anpassungen vorgenommen werden müssen. Ist man sicher, dass der Schuh passen wird, beginnt man an der Fußspitze, etwa dort, wo sich Punkt C1 befindet, mit dem Nähen und folgt einer Seite bis hin zur Ferse. Dann setzt man wieder oben an und näht die andere Seite entlang bis sich die Nähte an der Ferse treffen und die gesamte Sohle mit dem Oberteil verbunden ist. Gelegentlich treffen sich die beiden Seiten nicht genau und es gibt einen Überhang. Dieser wird entfernt, bis die beiden Seiten wieder passgenau sind. Dann näht man die Fersennaht zu. Genäht wird mit dem Heftstich von der Fleischseite. Die Verwendung des Überwendlingsstichs eignet sich nicht, da der Abrieb beim Laufen die Nähte gefährdet.

Es empfiehlt sich, widerspenstige und aus der Naht hervorstehende Haare, was besonders an den Zehen und bei Fellen mit ausgeprägtem Haarverlauf der Fall sein kann, nicht vor dem Nähen abzuschneiden, sondern, wie gehabt, nach innen zu streichen.

Es ist allerdings auch möglich, von der Fellseite her zu nähen. Dies empfiehlt sich aber nur bei kurzhaarigen oder geschorenen Fellen. In diesem Fall wird der Schuh verkehrt herum genäht und am Ende durch die Fußöffnung umgekrempelt. Die Naht ist dann verdeckt und wird beim Gehen besonders geschont.

PELZPROJEKTE

SCHAMANENHAUBE

Diese besondere Kopfbedeckung wird aus einem einzigen, kompletten und kaum zugeschnittenen Fuchsfell gefertigt. Sie eignet sich also besonders für den stolzen Gerber, der nach getaner Arbeit sein Fell zwar nutzen möchte, es jedoch in seiner Integrität erhalten möchte. Dieses Modell ergibt eine aufsehenerregende Kopfbedeckung, bei der der Hauptteil des Fells sowie die Hinterbeine und der Schwanz frei auf den Rücken des Trägers fallen. Gleichzeitig liefert die Haube, solange das Fell groß genug ist, bei Wind und Kälte zusätzlichen Schutz für Hals und Nacken, wenn der rückwärtige Teil nach vorne geholt und um den Hals geschlungen wird.

Konstruktion

Das Fertigen einer Schablone ist in diesem Fall nicht sinnvoll, da jeder Pelz von unterschiedlicher Größe und Beschaffenheit ist. Außerdem handelt es sich bei diesem

Die fertige
Haube

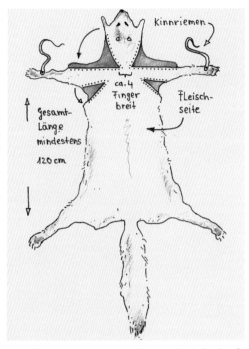

Schnittmuster der Haube. Die vier dunkel schraffierten Sektionen werden entfernt und entlang deren Kanten zugenäht.

Kopfputz nicht um maßgeschneiderte Kürschnerarbeit, sondern eher um eine lose sitzende Kopfbedeckung, welche mit einem Kinnriemen am Platz gehalten wird. Daher gilt es, sich bei dem Anzeichnen der Schnittlinien lediglich an der Musterzeichnung zu orientieren und mit entsprechendem Augenmaß vorzugehen. Man sollte sich allerdings nicht blind auf die dargestellte Graphik verlassen, sondern geplante Schnittstellen zuerst mit Stecknadeln festheften, um dann vor dem Spiegel Aussehen und Passgenauigkeit zu kontrollieren.

Bei dieser Haube wird anhand von vier separaten Nähten das Kopffell und ein Stück der Unterarme des Tieres an dessen Vor-

derbeine genäht, um eine Höhlung für den eigenen Kopf zu schaffen. Was die Ausgangsform des zu verarbeitenden Fells angeht, ist es wünschenswert, wenn auch die Haut des Unterkiefers zu beiden Seiten des Kopfes erhalten und einigermaßen weich gegerbt ist, denn an diese wird jeweils ein Stück des Vorderlaufs angenäht. Ist dies nicht der Fall, können die Beine auch direkt seitlich am Kopf festgenäht werden. Dies verkleinert die Öffnung für den eigenen Kopf allerdings etwas. Je nachdem, wie die Schnittführung beim Abbalgen erfolgt ist, muss man die kleinen keilförmigen Aussparungen unterhalb der Vorderbeine auch etwas weiter nach oben platzieren. Daher werden auch zuerst die Keile 1 und 2 unterhalb des Kopfes entnommen und die Nähte ausgeführt und erst danach die Keile 3 und 4, um entsprechende Anpassungen vornehmen zu können.

Als Letztes wird am Ende der Vorderläufe, kurz oberhalb der Tatzen, jeweils ein etwa ½ Zentimeter breiter Lederriemen angenäht. Diese lassen sich unter dem Kinn zusammenbinden, was die Haube in Position hält.

Das Nähen

Viele der Besonderheiten des Nähens von Pelzen wurden bereits weiter oben für das Nähen von Fell erwähnt, daher wird es hier nicht wiederholt. Man wird bemerken, dass die Haut des Kopffells beim Fuchs recht dick und steif, die der Unterarme dagegen sehr dünn und zart ist. Entsprechend vorsichtig gilt es beim Nähen vorzugehen. Genäht wird auch hier von der Fleischseite und zwar wahlweise mit dem Überwendlings- oder dem Baseballstich.

Die Trapper-mütze. In diesem Fall mit den Vorderpfo-ten des Pelzes als Ohrenklap-pen

TRAPPERMÜTZE

Dieses klassische Mützenmodel lernte ich in den 1990er-Jahren bei dem Fallensteller und Gerber George Michaud in den USA kennen. Auch diese Wintermütze kann aus einem einzigen großen Fuchsfell hergestellt werden. Alternativ dazu kann man natürlich auch mehrere kleinere Felle von anderen Tieren verwenden, wie z. B. Hase oder Nutria. Obwohl die Mütze aus verschiedenen Einzelteilen gefertigt ist, soll sie von außen wie aus einem Guss erscheinen. Dies wird durch den sich überlagernden Verlauf des Haarkleides erreicht, welcher alle Nähte verdecken sollte.

Die Schablonen

Die angegebenen Maße sind für einen Kopfumfang von 58 Zentimetern gedacht. Bei abweichendem Umfang sind die Maße entsprechend anzupassen. Alle Kartonteile werden entsprechend der Angaben hergestellt und ausgeschnitten.

Das Platzieren und Ausschneiden

Beim Platzieren der Schablonen auf der Fleischseite des Fells muss man ein wenig mit den einzelnen Teilen spielen, um die ideale Positionierung zu finden. Dabei gilt es, auf die Stärke und eventuell die Welligkeit der Haut sowie auf Qualität und Farbverlauf der Haare auf der Fellseite zu achten. Der Haarverlauf an der fertigen Mütze soll von der Stirn nach hinten Richtung Nacken verlaufen. Mittelstreifen und Seitenstücke ergeben die Grundform der Mütze. Ohrenklappen und Nackenstück sind optional. Auch kann deren Platzierung auf dem Fell anders, als dargestellt, vorgenommen werden. Im Nacken kann z. B. der

Schwanz beibehalten werden oder aber man verwendet die Beine als Ohrenklappen, wie auf dem Foto.

Hat man sich entschieden, schneidet man zuerst die Hauptteile aus und näht diese zusammen, bevor man sich den Rest vornimmt.

Das Nähen

Genäht wird mit dem Überwendlingsstich von der Fleischseite. Dazu werden die Punkte A der Seitenteile an die Punkte B des Mittelstreifens geheftet, indem man sie mit einem einzigen Stich annäht. Wichtig ist dabei, auf den Haarverlauf der Sei-

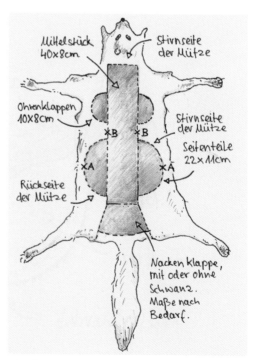

Platzierung der Schablonenteile auf dem Fuchspelz

tenteile zu achten, welcher vom Gesicht weg nach hinten verlaufen soll. Das Gleiche gilt schließlich auch für das Mittelteil. Nun wird von diesen Mittelpunkten aus, jeweils nach rechts und links, im Bogen nach unten genäht. Dabei wird man bemerken, dass sich die Fellteile eventuell etwas strecken und nicht genau mit dem Ende des Mittelstreifens abschließen wollen. Darauf muss man bereits während des Nähens achten, damit am Ende nicht irgendwo zu viel Material übrigbleibt oder die Mütze nicht symmetrisch wird. Möchte man Nackenschutz und Ohrenklappen an seiner Kopfbedeckung haben, werden diese ebenfalls vorher mit einem Heftstich fixiert und auf die gleiche Weise angenäht. Fertig!

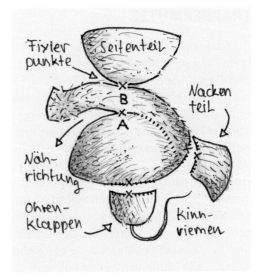

Zusammenfügen der verschiedenen Fellteile der Trappermütze

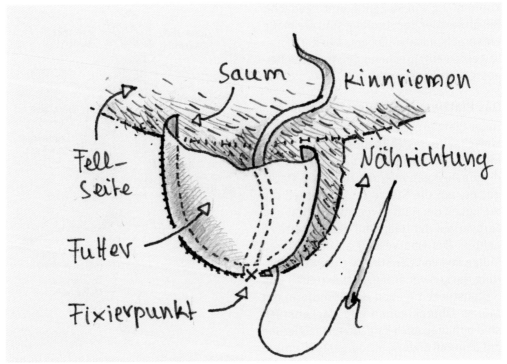

Schema des Annähens eines Innenfutters am Beispiel der Ohrenklappen

Wenn man möchte, kann man ein zusätzliches Futter aus Stoff an seiner Mütze anbringen. Dazu eignet sich irgendein dünner und weicher Stoff. Dazu schneidet man alle einzelnen Mützenteile mit Hilfe der Schablonen ein weiteres Mal aus, wobei man jeweils auf eine Zugabe von etwa einem halben Zentimeter für das Umlegen des Saums einberechnen muss.

Nun näht man erst einmal den Hauptteil des Futters zusammen. Anschließend stülpt man dieses mit der richtigen Seite nach innen über die Haarseite der fertigen Kappe und fixiert es an einigen Stellen mit Stecknadeln. Nun wird das Futter rundherum angenäht, außer am Hinterkopf, wo ein etwa 10 Zentimeter großer Bereich offenbleibt. Durch diesen Schlitz dreht man nun die Mütze vorsichtig von innen nach außen um, damit das Futter nun auf der Innenseite und das Fell wieder außen sind. Danach verschließt man die verbliebene Öffnung. Sind außerdem Nackenschutz und Ohrenklappen vorhanden, erhalten diese nun auf die gleiche Weise ihr Futter und die offengelassenen Stellen der einzelnen Futterteile werden ganz zum Schluss an das Futter des Hauptteils angenäht.

Ist ein Kinnriemen gewünscht, kann dieser gleich mit dem Futter innerhalb der Ohrenklappen mitangenäht werden, um dann beim Umkehren nach außen zu gelangen.

WEITERFÜHRENDE UND VERTIEFENDE LITERATUR

- Anders, Jess. „Book on Painting Hides – A Plains Indian Tradition". Amazon. Martson Gate. 2012
- Baillargeon, Morgan. „North American Aboriginal Hide Tanning". Mercury Series, Canadian Museum of Civilization. 2010
- Belitz, Larry. „Brain Tanning the Sioux Way". Pine Ridge Indian Reservation. 1973
- Doganalp-Votzi, Heidemarie. „Der Gerber, der Kulturbringer". Europäische Hochschulschriften. Peter Lang Verlag. 1997
- Edholm, Steven, und Wilder, Tamara. „Wet-Scrape Braintanned Buckskin". Paleotechnics. Boonville, California. 1997
- Ewers, John C. „Blackfeet Crafts". R. Schneider Publishers. 1986
- Fleckinger, Angelika, und Steiner, Hubert. „Der Mann aus dem Eis". Südtiroler Archäologie Museum. 1998
- Förderverein Gerbermuseum e. V. (Hrsg.). „Die Lohmühle von Leustetten". Leustetten. 2013
- Gansser, A. „Principles of Tanning". Ciba Review 81. 1950
- Grant, Bruce. „Leather Braiding". Cornell Maritime Press. Atglen. USA. 1978
- Gross, Günter. „Und wie war das früher – Von einem der ältesten Gewerbe und des Leders Werdegang". Kreismuseum Dippoldiswalde. 1991
- Hiller, Wesley. „Hidatsa Soft Tanning of Hides". The Minnesota Archeologist, January 1948
- Holfeld, Monika. „Fischleder gerben: Von Fischhaut zu Fischleder". Eigenverlag. Berlevag Norwegen. 2018
- Kitzmann, Matthias. „Felle von Dachs, Fuchs, Waschbär, selber gemacht". Traditionell Bogenschießen. Nr. 39/2006
- Klek, Markus. „American Indian Buffalo Robes: A Study of their Role in Native Societies and a Practical Guide to Traditional Tanning Techniques". BoD. Norderstedt. 2008
- Klek, Markus. „Ahle versus Nadel: Experimente zum Nähen von Fell und Leder während der Urzeit". EXAR Bilanz. Unteruhldingen. 2012
- Klek, Markus. „Auf der Suche nach dem Naßschaber – Archäologie und funktionale Analyse von Gerbewerkzeug aus Knochen mit längsstehendr Arbeitskante". EXAR Bilanz. Oldenburg 2011
- Klokkernes, Torunn. „Skin Processing Technology in Eurasian Reindeer Cultu-

res". PhD Thesis. Museum of Cultural History. Oslo. 2007

- Lehmann, Paulus. „Gesundes Wohnen – Gesunde Kleidung". Institut für Baubiologie, Neubeuren. 1984
- Lorenz, Friedrich. „Rauchwarenkunde". Volk und Wissen Verlag. Berlin/Leipzig. 1951
- Lyford, Carrie. „Quill and Beadwork of the Western Sioux". R. Schneider Publishers. 1983
- Mason, Otis. „Aboriginal Skin Dressing". Annual Report of the US National Museum. 1889
- Mauch, Heiko. „Studien zur Lederherstellung am Beispiel des nördlichen Alpenraums". Dissertation Universität Tübingen. 2004
- Mc Pherson, John. „Indianische Hirngerbung". Hudsons Bay Indian Trading Post. 2005
- Michaud, George. „Fur Brain Tanning". Bulletin of Primitive Technology. Nr. 21/2001
- Miller, Jim. „Brain Tan Buffalo Robes Skins and Pelts". Sundborn Inc. St. Clair, Michigan. 1997
- Moog, Gerhard Ernst, „Der Gerber: Professionelle Lederherstellung". Verlag Eugen Ulmer. 2016
- Oakes, Jill. „Die Kunst der Inuit Frauen – Stolze Stiefel, Schätze aus Fell". Frederking & Thaler, München. 1996
- Ottinger, Helmut. und Reeb, Ursula. „Gerben". Ulmer Verlag, Stuttgart. 2013
- Peter, Kathrine. „How I Tan Hides". Alaska Native Language Center, 1980

- Pfeiffer, Dominique. „Gerben mit natürlichen und chemischen Stoffen". BoD Norderstedt. 2010
- Rahme, Lotta. „Leather". The Carber Press. 1995
- Reichert, Anne. „Rekonstruktion der Ötzi Schuhe". Experimentelle Archäologie, Bilanz 1998, Beiheft 24, Isensee Verlag. 1999
- Richards, Matt. „Brains, Bones and Hot Springs: Native American Deerskin Dressing at the Time of Contact". Bulletin of Primitive Technology. No. 12, 1996
- Scheer, A. „Von der Rohhaut bis zur Kleidung". ‚Eiszeitwerkstatt', Museumsheft 2, Urgeschilchtl. Museum Blaubeuren. 1995
- Terpack, Vaughn. „Observations on Goatskin". Bulletin of Primitive Technology. 1998 No.16
- Thijsse, Saskia. „Die Herstellung einer Frauentracht an Hand von Grabungsfunden der Swifterbant-Kultur". Experimentelle Archäologie, Bilanz 1998, Beiheft 24, Isensee Verlag. 1999
- Torrence, Gaylord. „The American Indian Parfleche". University of Washington Press. 1994
- Wiener, Ferdinand. „Die Weißgerberei". A. Hartlebens Verlag, 1904
- Wilder, Edna. „Secrets of Eskimo Skin Sewing". Alaska North West Publishing. Anchorage. 1976
- Wood, Guy. „Basic Footwear of the Southeastern Tribes". Bulletin of Primitive Technology. Rexburg. Spring 2000. No. 19

Aus unserem Programm

ISBN 978-3-7020-1245-8

ISBN 978-3-7020-1791-0

ISBN 978-3-7020-1390-5

ISBN 978-3-7020-1757-6

Leopold Stocker Verlag
Graz – Stuttgart
www.stocker-verlag.com